Madame de Lafayette

La Princesse de Montpensier

Dossier et notes réalisés par
Marjolaine Forest

Lecture d'image par
Agnès Verlet

folio**plus**

classiques

Madame de Lafayette

de Montpensier

Marjolaine Forest est universitaire. Dans le cadre de ses recherches consacrées au théâtre et à la musique romantiques, elle travaille sur les représentations mentales, sociales et culturelles du romantisme et notamment sur les représentations de l'intime. Chez Gallimard, dans la collection Folioplus classiques, elle a publié une anthologie de textes accompagnant le programme de culture générale 2014-2015 des B.T.S.

Agnès Verlet est l'auteur de plusieurs essais : *La Vanité de Chateaubriand* (Droz, 2001), *Pierres parlantes, Florilèges d'épitaphes parisiennes* (Paris/Musées, 2000). Elle a également publié des œuvres de fiction, parmi lesquelles *La Messagère de rien* (Séguier, 1997), *Les Violons brûlés* (La Différence, 2006) et *Le Bouclier d'Alexandre* (La Différence, 2014).

Sommaire

Sommaire

La Princesse
de Montpensier

Pendant que la guerre civile déchirait la France sous le règne de Charles IX[1], l'amour ne laissait pas[2] de trouver sa place parmi tant de désordres, et d'en causer beaucoup dans son empire. La fille unique[3] du marquis de Mézières, héritière très considérable et par ses grands biens et par l'illustre maison d'Anjou[4], dont elle était descendue, était comme accordée[5] au duc du Maine, cadet du duc de Guise, que l'on appela depuis le Balafré[6]. Ils étaient tous deux dans une extrême jeunesse et le duc de Guise, voyant souvent cette prétendue belle-sœur, en qui paraissaient déjà les commencements d'une grande beauté, en devint amoureux et en fut aimé.

---

1. Troisième fils de Catherine de Médicis et d'Henri II, il fut roi de France de 1560 jusqu'à sa mort en 1574. Influencé par le parti catholique, il ordonna le massacre de la Saint-Barthélemy le 24 août 1572. Favorable à un accord avec les huguenots, il donna cet ordre avec réticence.

2. Ne manquait pas de.

3. Le personnage de la princesse de Montpensier est inspiré de Renée d'Anjou, marquise de Mézières ; elle est l'arrière-grand-mère d'Anne Marie Louise d'Orléans dite « la Grande Mademoiselle » (1627-1693), aristocrate célèbre du temps de Louis XIV.

4. Comté fondé dès le IXe siècle, puis institué en duché au XIVe siècle ; plusieurs princes de France portèrent le titre de duc d'Anjou.

5. Fiancée.

6. Surnom donné aussi bien à François de Lorraine (1519-1563),

Ils cachèrent leur intelligence avec beaucoup de soin, et le duc de Guise, qui n'avait pas encore tant d'ambition qu'il en eut depuis, souhaitait ardemment de l'épouser ; mais la crainte du cardinal de Lorraine son oncle[1], qui lui tenait lieu de père, l'empêchait de se déclarer.

Les choses étaient en cet état lorsque la maison de Bourbon[2], qui ne pouvait voir qu'avec envie l'élévation de celle de Guise, s'apercevant de l'avantage qu'elle recevrait de ce mariage, se résolut de le lui ôter et de se le procurer à elle-même, en faisant épouser cette grande héritière au jeune prince de Montpensier[3] que l'on appelait quelquefois le prince dauphin.

L'on travailla à cette affaire avec tant de succès que les parents, contre les paroles qu'ils avaient données au cardinal de Guise, se résolurent de donner leur nièce au prince de Montpensier. Ce procédé surprit extrêmement toute la maison de Guise, mais le duc en fut accablé de douleur, et l'intérêt de son amour lui fit voir ce manquement comme un affront insupportable.

deuxième duc de Guise, qu'à son fils aîné Henri de Lorraine (1550-1588), troisième duc de Guise. Tous deux portèrent ce surnom en raison d'une blessure au visage, que le père reçut au siège de Boulogne contre les Anglais (1544) et le fils à la bataille de Dormans contre les protestants le 10 octobre 1575 (soit après le récit de Mme de Lafayette). François de Lorraine exerça une sévère répression contre les protestants, relayé par Henri qui prit une grande part à l'organisation de la Saint-Barthélemy. Dès 1576, Henri dirigea la Ligue, parti ultra-catholique formé pour défendre le catholicisme mais aussi pour renverser le roi Henri III au profit de son propre chef.

1. Charles de Lorraine (1524-1574), l'un des sept frères cadets de François de Guise.

2. Dynastie royale française établie depuis le XIe siècle ; elle régna sur la France, l'Espagne, Naples ainsi que le duché de Parme.

3. François de Bourbon (1542-1592), fils du prince de La Roche-sur-Yon et duc de Montpensier en 1582 ; il est appelé « prince dauphin » car sa famille possède le Dauphiné d'Auvergne auquel s'adjoint par tradition un titre princier.

Son ressentiment éclata bientôt malgré les réprimandes du cardinal de Guise et du duc d'Aumale[1], ses oncles, qui ne voulaient point s'opiniâtrer[2] à une chose qu'ils voyaient ne pouvoir empêcher. Il s'emporta avec tant de violence, même en présence du jeune prince de Montpensier, qu'il en naquit une haine entre eux qui ne finit qu'avec leur vie.

Mlle de Mézières, tourmentée par ses parents, voyant qu'elle ne pouvait épouser M. de Guise et connaissant[3] par sa vertu qu'il était dangereux d'avoir pour beau-frère un homme qu'elle souhaitait pour mari, se résolut enfin d'obéir à ses parents et conjura M. de Guise de ne plus apporter d'empêchements et oppositions à son mariage. Elle épousa donc le jeune prince de Montpensier qui, peu de temps après, l'emmena à Champigny[4] (séjour ordinaire des princes de sa maison[5]) pour l'ôter de Paris, où apparemment tout l'effort de la guerre[6] allait tomber.

Cette grande ville était menacée d'un siège pour l'armée des huguenots[7], dont le prince de Condé[8] était le chef, et qui venait de prendre les armes contre le roi pour la seconde fois[9].

---

1. Claude II d'Aumale (1526-1573), autre jeune frère de François de Guise.
2. S'obstiner.
3. Sachant.
4. Champigny-sur-Veude, commune d'Indre-et-Loire.
5. Terme désignant une famille d'aristocrates.
6. Phase d'un combat guerrier durant laquelle la violence atteint son paroxysme.
7. Surnom donné dès le XVIᵉ siècle aux protestants par les catholiques. Le terme vient de l'allemand *Eidgenossen* (« confédérés »), mot désignant les Genevois qui, entre 1519 et 1535, avaient décidé de s'unir contre le duc de Savoie afin d'en obtenir leur indépendance.
8. Il s'agit ici du prince Louis Iᵉʳ de Bourbon, premier prince de Condé (1530-1569).
9. Ces deux prises d'armes renvoient probablement d'une part à la bataille de Dreux (1562), au terme de laquelle Condé fut fait prisonnier par les catholiques, d'autre part à la bataille de

Le prince de Montpensier, dans sa plus grande jeunesse, avait fait une amitié très particulière[1] avec le comte de Chabannes[2], et ce comte, quoique d'un âge beaucoup plus avancé, avait été si sensible à l'estime et à la confiance de ce prince que, contre tous ses propres intérêts, il abandonna le parti des huguenots, ne pouvant se résoudre à être opposé en quelque chose à un si grand homme et qui lui était si cher.

Ce changement de parti n'ayant point d'autre raison que celle de l'amitié, l'on douta qu'il fût véritable, et la reine mère Catherine de Médicis[3] en eut de si grands soupçons que, la guerre étant déclarée par les huguenots, elle eut dessein de le faire arrêter.

Mais le prince de Montpensier l'empêcha, en lui répondant de la personne du comte de Chabannes, qu'il emmena à Champigny en s'y en allant avec sa femme. Ce comte, étant d'un esprit fort sage et fort doux, gagna bientôt l'estime de la princesse de Montpensier et, en peu de temps, elle n'eut pas moins d'amitié pour lui. Chabannes, de son côté, regardait avec admiration tant de beauté, d'esprit et de vertu qui paraissaient en cette jeune princesse et, se servant de l'amitié qu'elle lui témoignait pour lui inspirer des senti-

---

Jarnac (1569), où il fut tué : ces deux batailles furent déclenchées sur la volonté de Condé.

1. Amitié très forte.

2. Ce personnage est fictif mais la lignée des Chabannes exista réellement et eut des liens de parenté avec Renée d'Anjou : la grand-mère de celle-ci fut Antoinette de Chabannes.

3. Catherine de Médicis (1519-1589) est la fille de Laurent II de Médicis, l'épouse d'Henri II et la mère de Charles IX. La maîtresse d'Henri II, Diane de Poitiers, contribua à évincer Catherine de Médicis du pouvoir mais, régente pendant la prime enfance de Charles IX, cette dernière se révéla fine politicienne et continua d'exercer ses talents durant le règne de son fils. Catholique modérée, elle chercha à préserver une entente avec les protestants mais fut impuissante à empêcher la Saint-Barthélemy.

ments d'une vertu extraordinaire et dignes de la grandeur de sa naissance, il la rendit en peu de temps une des personnes du monde la plus achevée[1].

Le prince étant revenu à la cour, où la continuation de la guerre l'appelait, le comte demeura seul avec la princesse et continua d'avoir pour elle un respect et une amitié proportionnés à sa qualité et à son mérite.

La confiance s'augmenta de part et d'autre, et à tel point du côté de la princesse de Montpensier qu'elle lui apprit l'inclination qu'elle avait eue pour M. de Guise, mais elle lui apprit aussi en même temps qu'elle était presque éteinte et qu'il ne lui en restait que ce qu'il était nécessaire pour défendre l'entrée de son cœur à tout autre, et que, la vertu se joignant à ce reste d'impression, elle n'était capable que d'avoir du mépris pour tous ceux qui oseraient lever les yeux jusqu'à elle.

Le comte de Chabannes, qui connaissait la sincérité de cette belle princesse, et qui lui voyait d'ailleurs des dispositions si opposées à la faiblesse de la galanterie[2], ne douta point qu'elle ne lui dît la vérité de ses sentiments ; et néanmoins, il ne put se défendre de tant de charmes qu'il voyait tous les jours de si près. Il devint passionnément amoureux de cette princesse et, quelque honte qu'il trouvât à se laisser surmonter[3], il fallut céder, et l'aimer de la plus violente et sincère passion qui fût jamais[4]. S'il ne fut pas maître de son cœur, il le fut de ses actions. Le changement de son âme n'en apporta point dans sa conduite, et personne ne soupçonna son amour. Il prit un soin exact pendant une année entière

---

1. Parfaite.
2. Aventures amoureuses.
3. Dominer (en l'occurrence, par sa passion).
4. À cette époque, « jamais » peut avoir un sens positif, hérité de l'ancien français.

de le cacher à la princesse, et il crut qu'il aurait toujours le même désir de le lui cacher. L'amour fit en lui ce qu'il fait en tous les autres : il lui donna l'envie de parler, et, après tous les combats qui ont accoutumé se faire en pareilles occasions, il osa lui dire qu'il l'aimait, s'étant bien préparé à essuyer les orages dont la fierté de cette princesse le menaçait. Mais il trouva en elle une tranquillité et une froideur pires mille fois que toutes les rigueurs à quoi il s'était attendu : elle ne prit pas la peine de se mettre en colère.

Elle lui représenta en peu de mots la différence de leurs qualités[1] et de leur âge, la connaissance particulière qu'il avait de sa vertu et de l'inclination qu'elle avait eue pour M. de Guise, et surtout ce qu'il devait à la confiance et à l'amitié du prince son mari.

Le comte de Chabannes pensa mourir à ses pieds de honte et de douleur. Elle tâcha de le consoler en l'assurant qu'elle ne se souviendrait jamais de ce qu'il venait de lui dire, qu'elle ne se persuaderait jamais une chose qui lui était si désavantageuse, et qu'elle ne le regarderait jamais que comme son meilleur ami.

Ces assurances consolèrent le comte, comme l'on se peut imaginer. Il sentit les mépris des paroles de la princesse dans toute leur étendue et, le lendemain, la revoyant avec un visage aussi ouvert que de coutume sans que sa présence la troublât ni la fît rougir, son affliction en redoubla de la moitié et le procédé[2] de la princesse ne la diminua pas. Elle vécut[3] avec lui avec la même bonté qu'elle avait accoutumé[4] ; elle lui reparla, quand l'occasion en fit naître le discours, de l'inclination qu'elle avait eue pour M. de

1. Rang social.
2. Manière d'être.
3. Se comporta.
4. Qu'elle avait eu l'habitude de lui témoigner.

Guise, et la renommée commençant lors à publier les grandes qualités qui paraissaient en ce prince, elle lui avoua qu'elle en sentait de la joie, et qu'elle était bien aise[1] de voir qu'il méritait les sentiments qu'elle avait eus pour lui.

Toutes ces marques de confiance qui avaient été si chères au comte de Chabannes lui devinrent insupportables. Il ne l'osait pourtant témoigner, quoiqu'il osât bien la faire souvenir quelques fois de ce qu'il avait eu la hardiesse de lui dire.

Après deux années d'absence, la paix étant faite, le prince de Montpensier revint trouver la princesse sa femme tout couvert de la gloire qu'il avait acquise au siège de Paris[2] et à la bataille de Saint-Denis[3]. Il fut surpris de voir la beauté de cette princesse dans une si haute perfection, et, par le sentiment d'une jalousie qui lui était naturelle, il en eut quelque chagrin[4], prévoyant bien qu'il ne serait pas le seul à la trouver belle. Il eut beaucoup de joie de revoir le comte de Chabannes pour qui son amitié n'avait point diminué, et lui demanda confidemment[5] des nouvelles de l'humeur et de l'esprit de sa femme, qui lui était quasi une personne inconnue par le peu de temps qu'il avait demeuré avec elle.

Le comte, avec une sincérité aussi exacte que s'il n'eût point été amoureux, dit au prince tout ce qu'il connaissait en cette princesse capable de la lui faire aimer, et avertit

---

1. Contente.
2. Les protestants assiégèrent Paris en octobre 1567, au cours de ce que l'on a appelé la deuxième guerre de Religion (1567-1568).
3. Cette bataille opposa catholiques et protestants français le 10 novembre 1567 ; les deux armées manquant d'argent pour financer leurs combats, un traité de paix (paix armée car les partis comptaient bien reprendre rapidement les hostilités) fut signé à Longjumeau (Essonne) le 23 mars 1568.
4. Ici, contrariété.
5. En confidence.

aussi Mme de Montpensier de toutes les choses qu'elle devait faire pour achever de gagner le cœur et l'estime de son mari. Enfin la passion du comte de Chabannes le portait si naturellement à ne songer qu'à ce qui pouvait augmenter le bonheur et la gloire de cette princesse qu'il oubliait sans peine les intérêts qu'ont les amants à empêcher que les personnes qu'ils aiment ne soient avec une si parfaite intelligence[1] avec leurs maris.

La paix ne fit que paraître[2]. La guerre recommença aussitôt par le dessein qu'eut le roi de faire arrêter à Noyers[3] le prince de Condé et l'amiral de Châtillon[4] où ils s'étaient retirés et, ce dessein ayant été découvert, l'on commença de nouveau les préparatifs de la guerre, et le prince de Montpensier fut contraint de quitter sa femme pour se rendre où son devoir l'appelait.

Chabannes le suivit à la cour, s'étant entièrement justifié auprès de la reine, à qui il ne resta aucun soupçon de sa fidélité. Ce ne fut pas sans une douleur extrême qu'il quitta la princesse, qui de son côté demeura fort triste des périls où la guerre allait exposer son mari. Les chefs des huguenots s'étant retirés à La Rochelle[5], le Poitou et la Saintonge[6] étant

---

1. Entente.
2. Fut brève.
3. Ville de l'Yonne, elle fut fortifiée de plusieurs remparts et tours entre le XIIᵉ et le XVIᵉ siècle.
4. Gaspard de Châtillon (1519-1572) est le fils de Gaspard de Coligny ; issu d'une famille d'aristocrates catholiques, il se range du côté des protestants en 1558 mais œuvre à une conciliation entre les deux partis et c'est grâce à ses efforts qu'est signée la paix de Saint-Germain en 1570. Il meurt lors de la Saint-Barthélemy.
5. Cette ville adopta très vite les convictions protestantes, qu'elle défendit fermement : le futur Henri III l'assiégera vainement pendant plusieurs mois en 1573.
6. La Saintonge est une région de l'ouest de la France, voisine du Poitou, située dans le département de la Charente-Maritime ; elle fut une terre protestante durant les guerres de religion.

de leur parti, la guerre s'y ralluma fortement et le roi y rassembla toutes ses troupes.

Le duc d'Anjou son frère, qui fut depuis Henri III[1], y acquit beaucoup de gloire par plusieurs belles actions, et entre autres par la bataille de Jarnac[2], où le prince de Condé fut tué. Ce fut dans cette guerre que le duc de Guise commença à avoir des emplois fort considérables et à faire connaître qu'il passait[3] de beaucoup les grandes espérances qu'on avait conçues de lui.

Le prince de Montpensier, qui le haïssait et comme son ennemi particulier[4] et[5] comme celui de sa maison, ne voyait qu'avec peine la gloire de ce duc, aussi bien que l'amitié que lui témoignait le duc d'Anjou. Après que les deux armées se furent fatiguées par beaucoup de petits combats, d'un commun consentement on licencia les troupes pour quelque temps et le duc d'Anjou demeura à Loches[6] pour donner ordre à[7] toutes les places qui eussent pu être attaquées.

Le duc de Guise y demeura avec lui, et le prince de Montpensier, accompagné du comte de Chabannes, s'en alla à Champigny, qui n'était pas fort éloigné de là. Le duc d'Anjou allait souvent visiter les places[8] qu'il faisait fortifier[9]. Un jour qu'il revenait à Loches par un chemin peu connu de ceux

---

1. Quatrième fils (1551-1589) d'Henri II et de Catherine de Médicis, il succède à son frère Charles IX à la mort de celui-ci.
2. Bataille qui eut lieu le 13 mars 1569. Jarnac est le chef-lieu de la Charente.
3. Synonyme ancien de « surpasser ».
4. Personnel.
5. La répétition de « et...et » signifie « à la fois ».
6. Ville fortifiée entre le XIIIᵉ et le XVIᵉ siècle, et chef-lieu de l'Indre-et-Loire.
7. Organiser la protection de.
8. Ou place forte : lieu que l'on faisait fortifier afin de défendre un territoire, une ville, par exemple.
9. Doter un lieu de combat militaire d'ouvrages de défense (forteresse, tour, etc.).

de sa suite[1], le duc de Guise, qui se vantait de le savoir, se mit à la tête de la troupe pour lui servir de guide ; mais, après avoir marché quelque temps, il s'égara et se trouva sur le bord d'une petite rivière qu'il ne reconnut pas lui-même. Toute la troupe fit la guerre[2] au duc de Guise de les avoir si mal conduits, et, étant arrêtés en ce lieu, aussi disposés à la joie qu'ont accoutumé de l'être de jeunes princes, ils aperçurent un petit bateau qui était arrêté au milieu de la rivière, et, comme elle n'était pas large, ils distinguèrent aisément dans ce bateau trois ou quatre femmes, et une entre autres qui leur parut fort belle, habillée magnifiquement, et qui regardait avec attention deux hommes qui pêchaient auprès d'elle. Cette nouvelle aventure donna une nouvelle joie à ces deux jeunes princes et à tous ceux de leur suite : elle leur parut une chose de roman[3]. Les uns disaient au duc de Guise qu'il les avait égarés exprès pour leur faire voir cette belle personne, les autres qu'après ce qu'avait fait le hasard, il fallait qu'il en devînt amoureux et le duc d'Anjou soutenait que c'était lui qui devait être son amant. Enfin, voulant pousser l'aventure au bout[4], ils firent avancer de leurs gens[5] à cheval le plus avant qu'il se pût dans la rivière, pour crier à cette dame que c'était M. le duc d'Anjou qui eût[6] bien voulu passer de l'autre côté de l'eau et qu'il priait qu'on

---

1. Escorte d'un personnage important, constituée de ceux qui appartiennent à sa maison.

2. Lui reprocha.

3. Une chose extraordinaire, de celles qui se passent seulement dans les romans.

4. Prolonger.

5. Quelques-uns de leurs gens ; « les gens » désigne un groupe de personnes qui se trouve sous les ordres d'une autre personne et qui appartient à sa maison.

6. Imparfait du subjonctif du verbe « avoir » ; nous dirions aujourd'hui « aurait ».

le vînt prendre. Cette dame, qui était Mme de Montpensier, entendant nommer le duc d'Anjou et ne doutant pas à la quantité de gens qu'elle voyait au bord de l'eau que ce ne fût lui, fit avancer son bateau pour aller du côté où il était. Sa bonne mine[1] le lui fit bientôt distinguer des autres quoiqu'elle ne l'eût quasi jamais vu, mais elle distingua encore plutôt le duc de Guise. Sa vue lui apporta un trouble qui la fit rougir et qui la fit paraître aux yeux de ces princes dans une beauté qu'ils crurent surnaturelle. Le duc de Guise la reconnut d'abord[2], malgré le changement avantageux qui s'était fait en elle depuis les trois années qu'il ne l'avait pas vue[3]. Il dit au duc d'Anjou qui elle était, qui[4] fut honteux d'abord de la liberté qu'il avait prise mais, voyant Mme de Montpensier si belle et cette aventure lui plaisant si fort, il se résolut de l'achever, et, après mille excuses et mille compliments, il inventa une affaire considérable qu'il disait avoir au-delà de la rivière, et accepta l'offre qu'elle lui fit de le passer dans son bateau. Il y entra seul avec le duc d'Anjou, donnant ordre à tous ceux qui le suivaient d'aller passer la rivière à un autre endroit, et de le venir joindre à Champigny, que Mme de Montpensier dit n'être qu'à deux lieues[5] de là. Sitôt qu'ils furent dans le bateau, le duc d'Anjou lui demanda à quoi ils devaient une si agréable rencontre et ce qu'elle faisait au milieu de la rivière. Elle lui apprit qu'étant partie de Champigny avec le prince son mari dans le dessein de le suivre à la chasse, elle s'était trouvée trop lasse et était venue sur le bord de la rivière où la curiosité d'aller voir prendre un sau-

---

1. Sa belle allure.
2. Immédiatement.
3. C'est-à-dire depuis son mariage ; nous sommes donc à ce moment du récit en 1569 et la princesse est âgée d'environ dix-neuf ans.
4. Mis pour le duc d'Anjou.
5. Une lieue équivalait approximativement à quatre kilomètres.

mon qui avait donné dans un filet l'avait fait entrer dans ce bateau.

M. de Guise ne se mêlait point dans la conversation, et sentant réveiller dans son cœur si vivement tout ce que cette princesse y avait autrefois fait naître, il pensait en lui-même qu'il pourrait demeurer aussi bien pris dans les liens de cette belle princesse que le saumon l'était dans les filets du pêcheur. Ils arrivèrent bientôt au bord, où ils trouvèrent les chevaux et les écuyers de Mme de Montpensier qui l'attendaient. Le duc d'Anjou lui aida[1] à monter à cheval, où elle se tenait avec une grâce admirable, et ces deux princes ayant pris des chevaux de main que conduisaient des pages de cette princesse, ils prirent le chemin de Champigny où elle les conduisait. Ils ne furent pas moins surpris des charmes de son esprit qu'ils l'avaient été de sa beauté, et ne purent s'empêcher de lui faire connaître l'étonnement où ils étaient de tous les deux.

Elle répondit à leurs louanges avec toute la modestie imaginable, mais un peu plus froidement à celles du duc de Guise, voulant garder une fierté qui l'empêchât de fonder aucune[2] espérance sur l'inclination qu'elle avait eue pour lui.

En arrivant dans la première cour de Champigny, ils y trouvèrent le prince de Montpensier qui ne faisait que revenir de la chasse. Son étonnement fut grand de voir deux hommes marcher à côté de sa femme, mais il fut extrême quand, s'approchant plus près, il reconnut que c'était le duc d'Anjou et le duc de Guise. La haine qu'il avait pour le dernier se joignant à la jalousie naturelle lui fit trouver quelque chose de si désagréable à voir ces deux princes avec sa femme sans savoir comment ils s'y étaient trouvés ni ce qu'ils venaient faire chez lui, qu'il ne put cacher le chagrin qu'il en avait ; mais il en

---

1. L'aida. Usage ancien du verbe « aider ».
2. Quelque. Dans la langue classique, « aucun(e) » a parfois un sens positif.

rejeta la cause sur la crainte de ne pouvoir recevoir un si grand prince selon sa qualité et comme il l'eût souhaité.

Le comte de Chabannes avait encore plus de chagrin de voir M. de Guise auprès de Mme de Montpensier que M. de Montpensier n'en avait lui-même. Ce que le hasard avait fait pour rassembler ces deux personnes lui semblait de si mauvais augure qu'il pronostiquait aisément que ce commencement de roman ne serait pas sans suite. Mme de Montpensier fit les honneurs de chez elle avec le même agrément qu'elle faisait toutes choses.

Enfin elle ne plut que trop à ses hôtes. Le duc d'Anjou, qui était fort galant et fort bien fait, ne put voir une fortune si digne de lui sans la souhaiter ardemment. Il fut touché du même mal que M. de Guise et, feignant toujours des affaires extraordinaires, il demeura deux jours sans être obligé d'y demeurer que par les charmes de Mme de Montpensier, le prince son mari ne faisant pas de violence pour l'y retenir. Le duc de Guise ne partit pas sans faire entendre à Mme de Montpensier qu'il était pour elle ce qu'il était autrefois et, comme sa passion n'avait point été sue de personne, il lui dit plusieurs fois, devant tout le monde sans être entendu que d'elle, que son cœur n'avait point changé, et partit avec le duc d'Anjou. Ils sortirent de Champigny et l'un et l'autre avec beaucoup de regret, et marchèrent longtemps dans un profond silence. Enfin, le duc d'Anjou s'imaginant tout d'un coup que ce qui causait sa rêverie pouvait bien causer celle du duc de Guise, lui demanda brusquement s'il pensait aux beautés de la princesse de Montpensier.

Cette demande si brusque, jointe à ce qu'avait déjà remarqué le duc de Guise des sentiments du duc d'Anjou, lui fit voir qu'il serait infailliblement son rival, et qu'il lui était très important de ne pas découvrir son amour au prince. Pour lui en ôter tout soupçon, il lui répondit en riant qu'il paraissait lui-même si occupé de la rêverie dont

il l'accusait qu'il n'avait pas jugé à propos de l'interrompre ;
que les beautés de la princesse de Montpensier n'étaient
pas nouvelles pour lui ; qu'il s'était accoutumé à en suppor-
ter l'éclat du temps qu'elle était destinée à être sa belle-
sœur, mais qu'il voyait bien que tout le monde n'en était
pas si peu ébloui que lui. Le duc d'Anjou lui avoua qu'il
n'avait encore rien vu qui lui parût comparable à la princesse de Montpensier et qu'il sentait bien que sa vue lui
pourrait être dangereuse s'il y était souvent exposé. Il
voulut faire convenir le duc de Guise qu'il sentait la même
chose, mais ce duc, qui commençait à se faire une affaire
sérieuse de son amour, n'en voulut rien avouer.

Les princes s'en retournèrent à Loches, faisant souvent
leur agréable conversation de l'aventure qui leur avait
découvert la princesse de Montpensier. Ce ne fut pas un
sujet de si grand divertissement dans Champigny. Le prince
de Montpensier était mal content de ce qui était arrivé sans
qu'il en pût dire le sujet. Il trouvait mauvais que sa femme se
fût trouvée dans ce bateau ; il lui semblait qu'elle avait reçu
trop agréablement ces princes. Et ce qui lui déplaisait le plus
était d'avoir remarqué que le duc de Guise l'avait regardée
attentivement. Il en conçut dans ce moment une jalousie si
furieuse qu'elle le fit ressouvenir de l'emportement qu'il
avait témoigné lors de son mariage, et il eut quelque soupçon que, dès ce temps-là, il en était amoureux.

Le chagrin que tous ses soupçons lui causèrent donna de
mauvaises heures à la princesse de Montpensier. Le comte de
Chabannes, selon sa coutume, prit soin qu'ils ne se brouillas-
sent tout à fait afin de persuader par-là à[1] la princesse combien la passion qu'il avait pour elle était sincère et
désintéressée. Il ne put s'empêcher de lui demander l'effet

---

1. Construction ancienne de « persuader ».

qu'avait produit sur elle la vue du duc de Guise. Elle lui apprit qu'elle en avait été troublée, par la honte de l'inclination qu'elle lui avait autrefois témoignée ; qu'elle l'avait trouvé beaucoup mieux fait qu'il n'était en ce temps-là, et que même il lui avait paru qu'il lui voulait persuader qu'il l'aimait encore, mais elle l'assura en même temps que rien ne pouvait ébranler la résolution qu'elle avait prise de ne s'engager jamais.

Le comte de Chabannes fut très aise de tout ce qu'elle lui disait, quoique rien ne le pût rassurer sur le duc de Guise. Il témoigna à la princesse qu'il appréhendait[1] pour elle que les premières impressions ne revinssent quelque jour, et il lui fit comprendre la mortelle douleur qu'il aurait pour son intérêt d'elle et pour le sien propre de la voir changer de sentiment. La princesse de Montpensier, continuant toujours son procédé avec lui, ne répondit presque pas à ce qu'il lui disait de sa passion et ne considérait toujours en lui que la qualité du meilleur ami du monde, sans lui vouloir faire l'honneur de prendre garde à celle d'amant.

Les armées étant remises sur pied, tous les princes y retournèrent, et le prince de Montpensier trouva bon que sa femme s'en vînt à Paris pour n'être plus si proche des lieux où se faisait la guerre. Les huguenots assiégèrent la ville de Poitiers. Le duc de Guise s'y jeta pour la défendre et y fit des actions qui suffiraient seules à rendre glorieuse une autre vie que la sienne.

Ensuite la bataille de Moncontour[2] se donna et le duc d'Anjou, après avoir pris Saint-Jean-d'Angély[3], tomba malade

---

1. Craignait.
2. Moncontour est le chef-lieu de la Vienne ; le duc d'Anjou remporta cette bataille contre l'armée protestante de l'amiral de Coligny en 1569.
3. Chef-lieu de la Charente-Maritime. Au XVIᵉ siècle, cette ville rassembla une importante communauté protestante ; elle fut assiégée puis conquise par l'armée du duc d'Anjou en 1569.

et fut contraint de quitter l'armée soit par la violence de son mal ou par l'envie qu'il avait de revenir goûter le repos et les douceurs de Paris, où la présence de la princesse de Montpensier n'était pas la moindre[1] qui l'y attirât. L'armée demeura sous le commandement du prince de Montpensier et, peu de temps après, la paix étant faite[2], toute la cour se trouva à Paris. La beauté de la princesse de Montpensier effaça toutes celles qu'on avait admirées jusques alors ; elle attira les yeux de tout le monde par les charmes de son esprit et de sa personne. Le duc d'Anjou ne changea pas en la revoyant les sentiments qu'il avait conçus pour elle à Champigny, et prit un soin extrême de les lui faire connaître par toutes sortes de soins et de galanteries, se ménageant toutefois à ne lui en donner des témoignages trop éclatants, de peur de donner de la jalousie au prince son mari. Le duc de Guise acheva d'en devenir violemment amoureux et, voulant par plusieurs raisons tenir sa passion cachée, il se résolut de la déclarer d'abord à la princesse de Montpensier, pour s'épargner tous ces commencements qui font toujours naître le bruit et l'éclat. Étant un jour chez la reine à une heure où il y avait très peu de monde, et la reine étant retirée dans son cabinet pour parler au cardinal de Lorraine, la princesse arriva.

Le duc se résolut de prendre ce moment pour lui parler, et, s'approchant d'elle : « Je vais vous surprendre, madame, lui dit-il, et vous déplaire en vous apprenant que j'ai toujours conservé cette passion qui vous a été connue autrefois, et qu'elle est si fort augmentée, en vous revoyant, que votre sévérité, la haine de M. le prince de Montpensier et la concurrence du premier prince du royaume ne sauraient

---

1. La moindre raison.
2. La paix de Saint-Germain, signée le 8 août 1570, qui reconnaît plusieurs droits aux protestants.

lui ôter un moment de sa violence. Il aurait été plus res-
pectueux de vous la faire connaître par mes actions que
par mes paroles, mais, madame, mes actions l'auraient
apprise à d'autres aussi bien qu'à vous, et je veux que vous
sachiez seule que je suis assez hardi pour vous adorer. » La
princesse fut d'abord si surprise et si troublée de ce discours qu'elle ne songea pas à l'interrompre, mais ensuite,
étant revenue à elle et commençant à lui répondre, le
prince de Montpensier entra. Le trouble et l'agitation
étaient peints sur le visage de la princesse sa femme. La
vue de son mari acheva de l'embarrasser, de sorte qu'elle
lui en laissa plus entendre que le duc de Guise n'en venait
de dire.

La reine sortit de son cabinet[1], et le duc se retira pour
guérir la jalousie de ce prince. La princesse de Montpensier
trouva le soir dans l'esprit de son mari tout le chagrin à
quoi elle s'était attendue. Il s'emporta avec des violences
épouvantables, et lui défendit de parler jamais au duc de
Guise. Elle se retira bien triste dans son appartement, et
bien occupée des aventures qui lui étaient arrivées ce jour-
là. Le jour suivant, elle revit le duc de Guise chez la reine,
mais il ne l'aborda pas, et se contenta de sortir un peu
après elle, pour lui faire voir qu'il n'y avait que faire quand
elle n'y était pas et il ne se passait point de jour qu'elle ne
reçût mille marques cachées de la passion de ce duc, sans
qu'il essayât de lui parler que lorsqu'il ne pouvait être vu
de personne. Malgré toutes ces belles résolutions qu'elle
avait faites à Champigny, elle commença à être persuadée
de sa passion, et à sentir dans le fond de son cœur quelque
chose de ce qui avait été autrefois. Le duc d'Anjou de son
côté, qui n'oubliait rien pour lui témoigner sa passion en

---

1. Pièce que l'on destinait aux occupations intellectuelles. Nous
emploierions aujourd'hui le terme « bureau ».

tous les lieux où il la pouvait voir, et qui la suivait continuellement chez la reine sa mère et la princesse sa sœur,
en était traité avec une rigueur étrange et capable de guérir toute autre passion que la sienne.

On découvrit en ce temps-là que Madame[1], qui fut
depuis reine de Navarre[2], avait quelque attachement pour
le duc de Guise, et ce qui le fit éclater davantage fut le
refroidissement qui parut du duc d'Anjou pour le duc de
Guise. La princesse de Montpensier apprit cette nouvelle,
qui ne lui fut pas indifférente, et qui lui fit sentir qu'elle prenait plus d'intérêt au duc de Guise qu'elle ne pensait. M. de
Montpensier son beau-père épousant Mlle de Guise, sœur
de ce duc, elle était contrainte de le voir souvent dans les
lieux où les cérémonies des noces les appelaient l'un et
l'autre. La princesse de Montpensier, ne pouvant souffrir
qu'un homme que toute la France croyait amoureux de
Madame osât lui dire qu'il l'était d'elle, et se sentant offen-
sée et quasi affligée de s'être trompée elle-même, un jour
que le duc de Guise la rencontra chez sa sœur un peu éloignée des autres et qu'il lui voulut parler de sa passion, elle
l'interrompit brusquement et lui dit d'un ton qui marquait
sa colère : « Je ne comprends pas qu'il faille, sur le fonde-
ment d'une faiblesse dont on a été capable à treize ans,
avoir l'audace de faire l'amoureux d'une personne comme
moi, et surtout quand on l'est d'une autre au su de toute
la cour. »

Le duc de Guise, qui avait beaucoup d'esprit et qui était

---

1. « Madame » était le nom donné aux sœurs, aux belles-sœurs ou
aux filles du roi.
2. Marguerite de Valois (1553-1615) ; fille de Catherine de Médicis et d'Henri II, sœur de Charles IX et d'Henri III, elle épousa
Henri de Navarre — futur Henri IV — le 18 août 1572 (c'est elle
qu'au XIXᵉ siècle on surnomma la reine Margot). Cette union fut
l'une des causes de la Saint-Barthélemy.

fort amoureux, n'eut besoin de consulter personne pour entendre tout ce que signifiaient les paroles de la princesse ; il lui répondit avec beaucoup de respect : « J'avoue, madame, que j'ai eu tort de ne pas mépriser l'honneur d'être beau-frère de mon roi plutôt que de vous laisser soupçonner un moment que je pourrais désirer un autre cœur que le vôtre ; mais si vous voulez me faire la grâce de m'écouter, je suis assuré de me justifier auprès de vous. » La princesse de Montpensier ne répondit point, mais elle ne s'éloigna pas, et le duc de Guise voyant qu'elle lui donnait l'audience qu'il souhaitait, lui apprit que, sans s'être attiré les bonnes grâces de Madame par aucun soin, elle l'en avait honoré ; que, n'ayant nulle passion pour elle, il avait très mal répondu à l'honneur qu'elle lui faisait jusqu'à ce qu'elle lui eût donné quelque espérance de l'épouser ; qu'à la vérité, la grandeur où ce mariage pouvait l'élever l'avait obligé de lui rendre plus de devoirs et que c'était ce qui avait donné lieu au soupçon qu'avaient eu le roi et le duc d'Anjou ; que la disgrâce de l'un ni de l'autre ne le dissuadait pas de son dessein, mais que, s'il lui déplaisait, il l'abandonnait dès l'heure même pour n'y penser de sa vie.

Le sacrifice que le duc de Guise faisait à la princesse lui fit oublier toute la rigueur et toute la colère avec laquelle elle avait commencé à lui parler. Elle commença à raisonner avec lui de la faiblesse qu'avait eue Madame de l'aimer la première, de l'avantage considérable qu'il recevrait en l'épousant. Enfin, sans rien d'obligeant au duc de Guise, elle lui fit revoir mille choses agréables qu'il avait trouvées autrefois en Mlle de Mézières. Quoiqu'ils ne se fussent point parlé depuis si longtemps, ils se trouvèrent pourtant accoutumés ensemble et leurs cœurs se remirent aisément dans un chemin qui ne leur était pas inconnu. Ils finirent enfin cette conversation, qui laissa une sensible joie dans l'esprit du duc de Guise. La princesse n'en eut pas une petite de connaître qu'il l'aimait véritablement, mais, quand elle fut dans son cabinet, quelles réflexions ne fit-elle point sur la honte de s'être laissée fléchir si aisément aux excuses du duc de Guise, sur l'embarras où elle s'allait plonger en s'engageant dans une chose qu'elle avait regardée avec tant d'horreur, et sur les effroyables malheurs où la jalousie de son mari la pouvait jeter. Ces pensées lui firent faire de nouvelles résolutions, qui se dissipèrent dès le lendemain par la vue du duc de Guise. Il ne manquait pas de lui rendre un compte exact de tout ce qui se passait entre Madame et lui, et la nouvelle alliance de leurs maisons leur donnait plusieurs occasions de se parler. Mais il n'avait pas peu de peine à la guérir de la jalousie que lui donnait la beauté de Madame, contre laquelle il n'y avait point de serment qui la pût rassurer, et cette jalousie lui servait à défendre plus opiniâtrement le reste de son cœur contre les soins du duc de Guise, qui en avait déjà gagné la plus grande partie.

Le mariage du roi avec la fille de l'empereur Maximilien[1] remplit la cour de fêtes et de réjouissances. Le roi fit un ballet où dansaient Madame et toutes les princesses. La princesse de Montpensier pouvait seule lui disputer le prix de la beauté. Le duc d'Anjou dansait une entrée de Maures[2] et le duc de Guise, avec quatre autres, était de son entrée : leurs habits étaient tous pareils, comme l'ont accoutumé de l'être les habits de ceux qui dansent une même entrée.

La première fois que le ballet se dansa, le duc de Guise,

---

1. L'empereur d'Autriche Maximilien II (1527-1576) ; pieux catholique, il fut néanmoins favorable à la liberté religieuse et se montra très tolérant envers la Réforme. Sa fille Élisabeth épousa Charles IX le 26 novembre 1570.

2. Une entrée était un intermède lors d'un ballet ; ici, les personnages sont costumés en Maures, c'est-à-dire en habitants de l'Afrique du Nord.

devant que[1] de danser et n'ayant pas encore son masque, dit quelques mots en passant à la princesse de Montpensier. Elle s'aperçut bien que le prince son mari y avait pris garde, ce qui la mit en inquiétude, et, toute troublée, quelque temps après, voyant le duc d'Anjou avec son masque et son habit de Maure qui venait pour lui parler, elle crut que c'était encore le duc de Guise et, s'approchant de lui : « N'ayez des yeux ce soir que pour Madame, lui dit-elle ; je n'en serais point jalouse ; je vous l'ordonne, on m'observe, ne m'approchez plus. » Elle se retira sitôt qu'elle eut achevé ces paroles et le duc d'Anjou en demeura accablé comme d'un coup de tonnerre. Il vit dans ce moment qu'il avait un rival aimé. Il comprit par le nom de Madame que ce rival était le duc de Guise, et il ne put douter que la princesse sa sœur ne fût le sacrifice qui avait rendu la princesse de Montpensier favorable aux yeux de son rival. La jalousie, le dépit et la rage se joignant à la haine qu'il avait déjà pour lui firent dans son âme tout ce qu'on peut imaginer de plus violent, et il eût donné sur l'heure quelque marque sanglante de son désespoir si la dissimulation qui lui était naturelle ne fût venue à son secours, et ne l'eût obligé, par des raisons puissantes, en l'état qu'étaient les choses, à ne rien entreprendre contre le duc de Guise. Il ne put toutefois se refuser le plaisir de lui apprendre qu'il savait les secrets de son amour et, l'abordant en sortant de la salle où l'on avait dansé : « C'est trop, lui dit-il, d'oser lever les yeux jusqu'à ma sœur et de m'ôter ma maîtresse. La considération du roi m'empêche d'éclater, mais souvenez-vous que la perte de votre vie sera peut-être la moindre chose dont je punirai quelque jour votre témérité[2]. »

---

1. Avant.
2. Audace démesurée et imprudente.

La fierté du duc de Guise n'était pas accoutumée à de telles menaces. Il ne put néanmoins y répondre parce que le roi, qui sortait en ce moment, les y appela tous deux. Mais elles gravèrent dans son cœur un désir de vengeance qu'il travailla toute sa vie à satisfaire. Dès le même soir le duc d'Anjou lui rendit toutes sortes de mauvais offices auprès du roi. Il lui persuada que jamais Madame ne consentirait à son mariage que l'on proposait alors avec le roi de Navarre, tant que l'on souffrirait que le duc de Guise l'approchât, et qu'il était honteux que ce duc, pour satisfaire sa vanité, apportât de l'obstacle à une chose qui devait donner la paix à la France.

Le roi avait déjà assez d'aigreur contre le duc de Guise et ce discours l'augmenta si fort que le lendemain, le roi voyant ce duc qui se présentait pour entrer au bal chez la reine, paré d'un nombre infini de pierreries mais plus paré encore de sa bonne mine, il se mit à l'entrée de la porte, et lui demanda brusquement où il allait. Le duc sans s'étonner lui dit qu'il venait pour lui rendre ses très humbles services, à quoi le roi répliqua qu'il n'avait pas besoin de ceux qu'il lui rendait et se tourna sans le regarder. Le duc de Guise ne laissa pas d'entrer dans la salle, outré dans le cœur et contre le roi et contre le duc d'Anjou, et par une manière de dépit, il s'approcha beaucoup plus de Madame qu'il n'avait accoutumé, joint que[1] ce que lui avait dit le duc d'Anjou de la princesse de Montpensier l'empêchait de jeter les yeux sur elle. Le duc d'Anjou les observait soigneusement l'un et l'autre et les yeux de cette princesse laissaient voir malgré elle quelque chagrin lorsque le duc de Guise parlait à Madame. Le duc d'Anjou, qui avait compris par ce qu'elle lui avait dit en le prenant pour ce duc qu'elle en avait de la jalousie, espéra de

---

1. Outre que.

les brouiller, et, se mettant auprès d'elle : « C'est pour votre intérêt plutôt que pour le mien, madame, lui dit-il, que je m'en vais vous apprendre que le duc de Guise ne mérite pas que vous l'ayez choisi à mon préjudice. Ne m'interrompez pas, je vous prie, pour me dire le contraire d'une vérité que je ne sais que trop. Il vous trompe, madame, et vous sacrifie à ma sœur, comme il vous la sacrifie. C'est un homme qui n'est capable que d'ambition, mais puisqu'il a eu le bonheur de vous plaire, c'est assez ; je ne m'opposerai point à une fortune que je méritais sans doute mieux que lui, mais je m'en rendrais indigne si je m'opiniâtrais davantage à la conquête d'un cœur qu'un autre possède. C'est trop de n'avoir pu attirer que votre indifférence : je ne veux pas y faire succéder la haine en vous importunant plus longtemps de la plus fidèle passion qui fut jamais. » Le duc d'Anjou, qui était effectivement touché d'amour et de douleur, put à peine achever ces paroles, et, quoiqu'il eût commencé son discours dans un esprit de dépit et de vengeance, il s'attendrit en considérant la beauté de cette princesse et la perte qu'il faisait en perdant l'espérance d'en être aimé. De sorte que, sans attendre sa réponse, il sortit du bal feignant de se trouver mal et s'en alla chez lui rêver[1] à son malheur.

La princesse de Montpensier demeura affligée et troublée, comme on se le peut imaginer ; de voir sa réputation et le secret de sa vie entre les mains d'un prince qu'elle avait maltraité et d'apprendre par lui, sans pouvoir en douter, qu'elle était trompée par son amant étaient des choses peu capables de lui laisser la liberté d'esprit que demandait un lieu destiné à la joie. Il fallut pourtant y demeurer, et aller souper ensuite chez la duchesse de Montpensier sa belle-mère, qui la mena avec elle. Le duc de Guise, qui

---

1. Penser.

mourait d'impatience de lui conter ce que lui avait dit le
duc d'Anjou, la suivit chez sa sœur, mais quel fut son étonnement[1] lorsque, voulant parler à cette belle princesse, il
trouva qu'elle n'ouvrit la bouche que pour lui faire des
reproches épouvantables, que le dépit lui faisait faire si
confusément qu'il n'y pouvait rien comprendre, sinon
qu'elle l'accusait d'infidélité et de trahison. Désespéré de
trouver une si grande augmentation de douleur où il avait
espéré de se consoler de toutes les siennes, et aimant
cette princesse avec une passion qui ne pouvait plus le laisser vivre dans l'incertitude d'en être aimé, il se détermina
tout d'un coup. « Vous serez satisfaite, madame, lui dit-il.
Je m'en vais faire pour vous ce que toute la puissance
royale n'aurait pu obtenir de moi. Il m'en coûtera ma fortune, mais c'est peu de chose pour vous satisfaire. » Et
sans demeurer davantage chez la duchesse sa sœur, il s'en
alla trouver à l'heure même les cardinaux ses oncles et, sur
le prétexte du mauvais traitement qu'il avait reçu du roi, il
leur fit une si grande nécessité pour sa fortune à ôter la
pensée qu'on avait qu'il prétendait épouser Madame, qu'il
les obligea à conclure son mariage avec la princesse de
Portien[2], dont on avait déjà parlé, ce qui fut conclu et
publié dès le lendemain.

Tout le monde fut surpris de ce mariage, et la princesse
de Montpensier en fut touchée de joie et de douleur. Elle
fut bien aise de voir par là le pouvoir qu'elle avait sur le
duc de Guise, et elle fut fâchée en même temps de lui avoir
fait abandonner une chose aussi avantageuse que le
mariage de Madame.

---

1. Immense surprise.
2. Catherine de Clèves (1548-1633) ; veuve en premières noces du
prince Antoine de Portien, elle épouse Henri de Lorraine, duc de
Guise, en 1570.

Le duc de Guise, qui voulait que l'amour le récompensât de ce qu'il perdait du côté de la fortune, pressa la princesse de lui donner une audience particulière, pour s'éclairer des reproches injustes qu'elle lui avait faits. Il obtint qu'elle se trouverait chez la duchesse de Montpensier sa sœur à une heure que[1] la duchesse n'y serait pas, et qu'ils s'y rencontreraient. Cela fut exécuté comme il l'avait résolu. Le duc de Guise eut la joie de se pouvoir jeter à ses pieds, de lui parler en liberté de sa passion, et de lui dire ce qu'il avait souffert de ses soupçons. La princesse ne pouvait s'ôter de l'esprit ce que lui avait dit le duc d'Anjou, quoique le procédé du duc de Guise la dût absolument rassurer. Elle lui apprit le juste sujet qu'elle avait de croire qu'il l'avait trahie puisque le duc d'Anjou savait ce qu'il ne pouvait avoir appris que de lui. Le duc de Guise savait par où se défendre, et était aussi embarrassé que la princesse de Montpensier à deviner ce qui avait pu découvrir[2] leur intelligence[3].

Enfin, dans la suite de leur conversation, cette princesse lui faisant voir qu'il avait eu tort de précipiter son mariage avec la princesse de Portien et d'abandonner celui de Madame, qui était si avantageux, elle lui dit qu'il pouvait bien juger qu'elle n'en eût eu aucune jalousie, puisque le jour du ballet, elle-même l'avait conjuré de n'avoir des yeux que pour Madame. Le duc de Guise lui dit qu'elle avait eu intention de lui faire ce commandement, mais que sa bouche ne l'avait pas exécuté. La princesse lui soutint le contraire. Enfin, à force de disputer[4] et d'approfondir, ils trouvèrent qu'il fallait qu'elle se fût trompée dans la res-

---

1. Où.
2. Dévoiler.
3. Complicité.
4. Ici, échanger des arguments contradictoires.

semblance des habits, et qu'elle-même eût appris au duc
d'Anjou ce qu'elle accusait le duc de Guise de lui avoir dit.

Le duc de Guise, qui était presque justifié dans son esprit
par son mariage, le fut entièrement par cette conversation.
Cette belle princesse ne put refuser son cœur à un homme
qui l'avait possédé autrefois et qui venait de tout abandonner pour elle. Elle consentit donc à recevoir ses vœux et lui
permit de croire qu'elle n'était pas insensible à sa passion.

L'arrivée de la duchesse de Montpensier sa belle-mère
finit cette conversation, et empêcha le duc de Guise de lui
faire voir les transports de sa joie. Peu après, la cour s'en
alla à Blois, où la princesse de Montpensier la suivit. Le
mariage de Madame avec le roi de Navarre y fut conclu, et
le duc de Guise, qui ne connaissait plus de grandeur ni de
bonne fortune que celle d'être aimé de la princesse, vit
avec joie la conclusion de ce mariage qui l'aurait comblé de
douleur dans un autre temps. Il ne pouvait si bien cacher
son amour que[1] la jalousie du prince de Montpensier n'en
entrevît quelque chose, et, n'étant plus maître de son
inquiétude, il ordonna à la princesse sa femme de s'en aller
à Champigny pour se guérir de ses soupçons.

Ce commandement lui fut bien rude, mais il fallait l'exécu-
ter. Elle trouva moyen de dire adieu en particulier[2] au duc de
Guise, mais elle se trouva bien embarrassée à lui donner des
moyens sûrs pour lui écrire. Enfin, après avoir bien cherché,
elle jeta les yeux sur le comte de Chabannes, qu'elle comptait
toujours pour son ami, sans considérer qu'il était son amant.
Le duc de Guise, qui savait à quel point le comte était ami du
prince de Montpensier, fut épouvanté qu'elle le choisît pour
son confident, mais elle lui répondit si bien de sa fidélité
qu'elle le rassura et ce duc se sépara d'elle avec toute la dou-

---

1. De manière à ce que, au point que.
2. En secret.

leur que peut causer l'absence d'une personne que l'on aime passionnément. Le comte de Chabannes, qui avait toujours été malade chez lui pendant le séjour de la princesse de Montpensier à la cour, sachant qu'elle s'en allait à Champigny, la vint trouver sur le chemin pour s'y en aller avec elle. Il fut d'abord charmé de la joie que lui témoigna cette princesse de le voir, et plus encore de l'impatience qu'elle avait de le pouvoir entretenir. Mais quel fut son étonnement et sa douleur quand il trouva que cette impatience n'allait qu'à lui conter qu'elle était passionnément aimée du duc de Guise et qu'elle ne l'aimait pas moins ! Sa douleur ne lui permit pas de répondre ; mais cette princesse, qui était pleine de sa passion, et qui trouvait un soulagement extrême à lui en parler, ne prit pas garde à son silence, et se mit à lui conter jusques aux plus petites circonstances de son aventure et lui dit comme le duc de Guise et elle étaient convenus de recevoir leurs lettres par son moyen. Ce fut le dernier coup pour le comte de Chabannes de voir que sa maîtresse voulait qu'il servît son rival, et qu'elle lui en faisait la proposition comme d'une chose naturelle, sans envisager le supplice où elle l'exposait. Il était si absolument maître de lui-même qu'il lui cacha tous ses sentiments et lui témoigna seulement la surprise où il était de voir en elle un si grand changement. Il espéra d'abord que ce changement, qui lui ôtait toute espérance, lui ôterait infailliblement son amour. Mais il trouva cette princesse si belle, et sa grâce naturelle si augmentée par celle que lui avait donnée l'air de la cour, qu'il sentit qu'il l'aimait plus que jamais. Toutes les confidences qu'elle lui faisait sur la tendresse et sur la délicatesse de ses sentiments pour le duc de Guise lui faisaient voir le prix du cœur de cette princesse et lui donnaient un violent désir de le posséder. Comme sa passion était la plus extraordinaire du monde, elle produisit l'effet du monde le plus extraordinaire aussi, car elle le fit résoudre de porter à sa maîtresse les lettres de son rival.

L'absence du duc de Guise donnait un chagrin mortel à la princesse de Montpensier, et, n'espérant de soulagement que par ses lettres, elle tourmentait incessamment le comte de Chabannes pour savoir s'il n'en recevait point, et se prenait quasi à lui de n'en avoir pas assez tôt. Enfin il en reçut par un gentilhomme exprès et il les lui apporta à l'heure même, pour ne lui retarder pas sa joie d'un moment.

La joie qu'elle eut de les recevoir fut extrême ; elle ne prit pas le soin de la lui cacher, et lui fit avaler à longs traits tout le poison imaginable en lui lisant ses lettres, et la réponse tendre et galante qu'elle y faisait. Il porta cette réponse au gentilhomme avec autant de fidélité qu'il avait fait la lettre, mais encore avec plus de douleur. Il se consola pourtant un peu dans la pensée que cette princesse ferait quelque réflexion sur ce qu'il faisait pour elle, et qu'elle lui en témoignerait de la reconnaissance, mais la trouvant tous les jours plus rude pour lui par le chagrin qu'elle avait d'ailleurs[1], il prit la liberté de la supplier de penser un peu à ce qu'elle lui faisait souffrir. La princesse, qui n'avait dans la tête que le duc de Guise et qui ne trouvait que lui digne d'être adoré, trouva si mauvais qu'un autre mortel lui osât encore penser à elle qu'elle maltraita bien plus le comte de Chabannes qu'elle n'avait fait la première fois qu'il lui avait parlé de son amour.

Ce comte, dont la passion et la patience étaient aux dernières épreuves, sortit en même temps d'auprès d'elle et de Champigny et s'en alla chez un de ses amis dans le voisinage, d'où il lui écrivit avec toute la rage que pouvait causer son procédé, mais néanmoins avec tout le respect qui était dû à sa qualité, et par sa lettre, il lui disait un éternel adieu.

La princesse commença à se repentir d'avoir si peu

---

1. Causé par un autre motif.

ménagé un homme sur qui elle avait tant de pouvoir, et ne pouvant se résoudre à le perdre à cause de l'amitié qu'elle avait pour lui et par l'intérêt de son amour pour le duc de Guise où il lui était nécessaire, elle lui manda qu'elle voulait absolument lui parler encore une fois et puis qu'elle le laisserait libre de faire ce qu'il voudrait. L'on est bien faible quand l'on est amoureux. Le comte revint, et en une heure la beauté de la princesse de Montpensier, son esprit et quelques paroles obligeantes le rendirent plus soumis qu'il n'avait jamais été, et il lui donna même des lettres du duc de Guise, qu'il venait de recevoir.

Pendant ce temps, l'envie qu'on eut à la cour d'y faire revenir les chefs du parti huguenot pour cet horrible dessein qu'on exécuta le jour de la Saint-Barthélemy fit que le roi, pour les mieux tromper, éloigna de lui tous les princes de la maison de Bourbon et tous ceux de la maison de Guise. Le prince de Montpensier s'en revint à Champigny pour achever d'accabler la princesse sa femme par sa présence, et tous ceux de Guise s'en allèrent à la campagne, chez le cardinal de Lorraine leur oncle. L'amour et l'oisiveté mirent dans l'esprit du duc de Guise un si violent désir de voir la princesse de Montpensier que, sans considérer ce qu'il hasardait pour elle et pour lui, il feignit un voyage, et, laissant tout son train[1] dans une petite ville, il prit avec lui ce seul gentilhomme qui avait déjà fait plusieurs voyages à Champigny et il s'y en alla en poste[2]. Comme il n'avait point d'autre adresse que celle du comte de Chabannes, il lui fit écrire un billet par ce même gentilhomme, qui le priait de le venir trouver en un lieu qu'il lui marquait. Le comte de Chabannes, croyant seulement que

---

1. Ensemble des personnes, des animaux et des bagages qui suivent une personne de haut rang social lorsqu'elle voyage.
2. Voiture à cheval ordinaire, dans laquelle un aristocrate ne voyage habituellement pas.

c'était pour recevoir les lettres du duc de Guise, alla trouver
le gentilhomme, mais il fut étrangement surpris quand il vit le
duc de Guise, et n'en fut pas moins affligé. Ce duc, occupé de
son dessein, ne prit non plus garde à l'embarras du comte que
la princesse de Montpensier avait fait à son silence lorsqu'elle
lui avait conté son amour, et il se mit à lui exagérer[1] sa passion et à lui faire comprendre qu'il mourrait infailliblement s'il
ne lui faisait obtenir de la princesse la permission de la voir.

Le comte de Chabannes lui répondit seulement qu'il
dirait à cette princesse tout ce qu'il souhaitait, et qu'il vien-
drait lui en rendre réponse. Le comte de Chabannes reprit
le chemin de Champigny, combattu de[2] ses propres sentiments avec une violence qui lui ôtait quelquefois toute
sorte de connaissance. Souvent[3] il résolvait de renvoyer le
duc de Guise, sans le dire à la princesse de Montpensier.
Mais la fidélité exacte qu'il lui avait promise changeait sa
résolution. Il arriva à Champigny sans savoir ce qu'il devait
faire, et, apprenant que le prince de Montpensier était à la
chasse, il alla droit à l'appartement de la princesse qui, le
voyant avec toutes les marques d'une violente agitation, fit
retirer aussitôt ses femmes pour savoir le sujet de ce trouble. Il lui dit, se modérant le plus qu'il lui fut possible, que
le duc de Guise était à une lieue de Champigny, qui demandait à la voir. La princesse fit un grand cri à cette nouvelle,
et son embarras ne fut guère moindre que celui du comte.
Son amour lui présenta d'abord la joie qu'elle aurait de
voir un homme qu'elle aimait si tendrement. Mais elle
pensa combien cette action était contraire à sa vertu et
qu'elle ne pouvait voir son amant qu'en le faisant entrer la
nuit chez elle à l'insu de son mari, elle se trouva dans une

---

1. Dépeindre de manière exaltée.
2. Tourmenté par.
3. À plusieurs reprises en un bref espace de temps.

extrémité[1] épouvantable. Le comte attendait sa réponse comme une chose qui allait décider de sa vie ou de sa mort, mais, jugeant de son incertitude par son silence, il prit la parole pour lui représenter tous les périls où elle s'exposerait par cette entrevue, et, voulant lui faire voir qu'il ne tenait pas ce discours pour ses intérêts, il lui dit : « Si, après tout ce que je viens de représenter, madame, votre passion est la plus forte, et que vous vouliez voir le duc de Guise, que ma considération ne vous en empêche point, si celle de votre intérêt ne le fait pas. Je ne veux point priver de sa satisfaction une personne que j'adore ou être cause qu'elle cherche des personnes moins fidèles que moi pour se la procurer.

« Oui, madame, si vous voulez, je vais quérir le duc de Guise dès ce soir, car il est trop périlleux de le laisser long-temps où il est, et je l'amènerai dans votre appartement. — Mais par où et comment ? interrompit la princesse. — Ah ! madame, s'écria le comte, c'en est fait, puisque vous ne déli-bérez plus que sur les moyens. Il viendra, madame, ce bien-heureux ; je l'amènerai par le parc. Donnez ordre seulement à celle de vos femmes à qui vous vous fiez qu'elle baisse le petit pont-levis qui donne de votre antichambre[2] dans le par-terre[3], précisément à minuit, et ne vous inquiétez pas du reste. »

En achevant ces paroles, le comte de Chabannes se leva, et, sans attendre d'autre consentement de la princesse de Montpensier, il remonta à cheval et vint trouver le duc de Guise, qui l'attendait avec une violente impatience. La prin-cesse de Montpensier demeura si troublée qu'elle demeura

---

1. Situation déplaisante qui a atteint son ultime degré.
2. Pièce que nous nommerions aujourd'hui « entrée ».
3. Jardin situé sur une surface plane et faisant face au bâtiment principal d'une demeure.

quelque temps sans revenir à elle. Son premier mouvement fut de faire rappeler le comte de Chabannes pour lui défendre d'amener le duc de Guise, mais elle n'en eut pas la force, et elle pensa que, sans le rappeler, elle n'avait qu'à ne point faire abaisser le pont. Elle crut qu'elle continuerait dans cette résolution, mais quand onze heures approchèrent, elle ne put résister à l'envie de voir un amant qu'elle croyait si digne d'elle, et instruisit une de ses femmes[1] de tout ce qu'il fallait faire pour introduire le duc de Guise dans son appartement.

Cependant ce duc et le comte de Chabannes approchaient de Champigny dans un état bien différent. Le duc abandonnait son âme à la joie et à tout ce que l'espérance inspire de plus agréable, et le comte s'abandonnait à un désespoir et à une rage qui le poussa mille fois à donner[2] de son épée au travers du corps de son rival.

Enfin ils arrivèrent au parc de Champigny et laissèrent leurs chevaux à l'écuyer du duc de Guise et, passant par des brèches qui étaient aux murailles, ils vinrent dans le parterre. Le comte de Chabannes, au milieu de son désespoir, avait conservé quelque rayon d'espérance que la princesse de Montpensier aurait fait revenir sa raison et qu'elle se serait résolue à ne point voir le duc de Guise. Quand il vit le petit pont abaissé, ce fut alors qu'il ne put douter de rien[3], et ce fut aussi alors qu'il fut tout prêt à se porter aux dernières extrémités. Mais venant à penser que, s'il faisait du bruit, il serait ouï[4] apparemment[5] du prince de Montpensier, dont l'appartement donnait sur le même parterre,

---

1. Femmes de chambre.
2. Vouloir donner.
3. De quoi que ce soit.
4. Entendu.
5. Probablement.

et que tout ce désordre tomberait ensuite sur la princesse
de Montpensier, sa rage se calma à l'heure même, et il
acheva de conduire le duc de Guise aux pieds de sa princesse, et il ne put se résoudre à être témoin de leur conversation quoique la princesse lui témoignât le souhaiter,
et qu'il l'eût bien souhaité lui-même. Il se retira dans un
petit passage qui regardait du côté de l'appartement du
prince de Montpensier, ayant dans l'esprit les plus tristes
pensées qui aient jamais occupé l'esprit d'un amant.

Cependant, quelque peu de bruit qu'ils eussent fait en
passant sur le pont, le prince de Montpensier qui, par malheur, était éveillé dans ce moment, l'entendit, et fit lever un
de ses valets de chambre pour voir ce que c'était. Le valet
de chambre mit la tête à la fenêtre, et, au travers de l'obscurité de la nuit, il aperçut que le pont était abaissé, et en
avertit son maître qui lui commanda en même temps d'aller
dans le parc voir ce que ce pouvait être, et un moment
après il se leva lui-même, étant inquiet de ce qu'il lui semblait avoir ouï marcher, et s'en vint droit à l'appartement
de la princesse sa femme, où il savait que le pont venait
répondre[1]. Dans le moment qu'il approchait de ce petit
passage où était le comte de Chabannes, la princesse de
Montpensier, qui avait quelque honte de se trouver seule
avec le duc de Guise, pria plusieurs fois le comte d'entrer
dans sa chambre ; il s'en excusa toujours, et comme elle
l'en pressait davantage, possédé de rage et de fureur, il lui
répondit si haut qu'il fut ouï du prince de Montpensier,
mais si confusément qu'il entendit seulement la voix d'un
homme, sans distinguer celle du comte. Une pareille aventure eût donné de l'emportement à un esprit plus tran-
quille et moins jaloux. Aussi mit-elle d'abord l'excès de la

---

1. Débouchait.

rage et de la fureur dans celui du prince, qui heurta aussitôt à la porte avec impétuosité et, criant pour se faire ouvrir, il donna la plus cruelle surprise qui ait jamais été à la princesse, au duc de Guise et au comte de Chabannes.

Ce dernier, entendant la voix du prince, vit d'abord qu'il était impossible qu'il n'eût vu quelqu'un dans la chambre de la princesse sa femme, et la grandeur de sa passion lui montrant en un moment que si le duc de Guise était trouvé, Mme de Montpensier aurait la douleur de le voir tuer à[1] ses yeux et que la vie même de cette princesse ne serait pas en sûreté, il se résolut, par une générosité sans exemple, de s'exposer pour sauver une maîtresse ingrate et un rival aimé, et, pendant que le prince de Montpensier donnait mille coups à la porte, il vint au duc de Guise qui ne savait quelle résolution prendre, et le mit entre les mains de cette femme de Mme de Montpensier qui l'avait fait entrer pour le faire ressortir par le même pont, pendant qu'il s'exposerait à la fureur du prince.

À peine le duc était-il sorti par l'antichambre que le prince, ayant enfoncé la porte du passage, entra comme un homme possédé de fureur et qui cherchait des yeux sur qui la faire éclater. Mais quand il ne vit que le comte de Chabannes et qu'il le vit appuyé sur la table, avec un visage où la tristesse était peinte, et comme immobile, il demeura immobile lui-même et la surprise de trouver dans la chambre de sa femme l'homme qu'il aimait le mieux et qu'il aurait le moins cru y trouver le mit hors d'état de pouvoir parler.

La princesse était à demi évanouie sur les carreaux[2], et jamais peut-être la Fortune[3] n'a mis trois personnes en des états si violents.

---

1. Sous.
2. Type de coussins apparus au Moyen Âge ; de forme carrée, ils étaient en général posés devant un siège afin de protéger contre les sols en terre souvent froids.
3. Ici la déesse Fortune, allégorie du hasard.

Enfin le prince de Montpensier, qui ne croyait pas voir ce qu'il voyait et qui voulait éclaircir ce chaos où il venait de tomber, adressant la parole au comte d'un ton qui faisait voir que l'amitié combattait encore pour lui : « Que vois-je, lui dit-il, est-ce une illusion ou une vérité ? Est-il possible qu'un homme que j'ai aimé si chèrement choisisse ma femme entre toutes les femmes du monde pour la séduire ? Et vous, madame », dit-il à la princesse se tournant de son côté, « n'était-ce point assez de m'ôter votre cœur et mon honneur sans m'ôter le seul homme qui me pourrait consoler de ces malheurs ? Répondez-moi l'un ou l'autre, leur dit-il, et éclaircissez-moi d'une aventure que je ne puis croire telle qu'elle me paraît. » La princesse n'était pas capable de répondre, et le comte de Chabannes ouvrit plusieurs fois la bouche sans pouvoir parler. « Je suis criminel à votre égard, lui dit-il, et enfin indigne de l'amitié que vous avez eue pour moi, mais ce n'est pas de la manière que vous pouvez vous l'imaginer : je suis plus malheureux que vous, s'il se peut, et plus désespéré ; je ne saurais vous en dire davantage ; ma mort vous vengera, et si vous me la voulez donner tout à l'heure[1], vous me donnerez la seule chose qui peut m'être agréable. »

Ces paroles prononcées avec une douleur mortelle et avec un air qui marquait son innocence, au lieu d'éclaircir le prince de Montpensier, lui persuadaient encore plus qu'il y avait quelque mystère dans cette aventure qu'il ne pouvait démêler, et, son désespoir s'augmentant par cette incertitude : « Ôtez-moi la vie vous-même, lui dit-il, ou tirez-moi du désespoir où vous me mettez : c'est la moindre chose que vous devez à l'amitié que j'ai eue pour vous, et à la modération qu'elle me fait encore garder, puisque tout autre

---

1. Tout de suite.

que moi aurait déjà vengé sur votre vie un affront dont je ne puis quasi douter. — Les apparences sont bien fausses, interrompit le comte. — Ah ! c'est trop, répliqua le prince de Montpensier, il faut que je me venge, puis je m'éclaircirai à loisir. » Et disant ces paroles, il s'approcha du comte de Chabannes avec l'action d'un homme emporté de rage, et la princesse, craignant un malheur, qui ne pouvait pourtant pas arriver, le prince son mari n'ayant point d'épée, se leva pour se mettre entre deux.

La faiblesse où elle était la fit succomber à cet effort et, en approchant de son mari, elle tomba évanouie à ses pieds. Le prince fut encore touché de la voir en cet état aussi bien que de la tranquillité où le comte était demeuré quand il s'était approché de lui et, ne pouvant plus soutenir la vue de ces deux personnes qui lui donnaient des mouvements si opposés, il tourna la tête de l'autre côté, et se laissa tomber sur le lit de sa femme, accablé d'une douleur incroyable. Le comte de Chabannes, pénétré de repentir d'avoir abusé d'une amitié dont il recevait tant de marques, et ne trouvant pas qu'il pût jamais réparer ce qu'il venait de faire, sortit brusquement de la chambre et, passant par l'appartement du prince dont il trouva les portes ouvertes, descendit dans la cour, se fit donner des chevaux, et s'en alla dans la campagne guidé par son seul désespoir. Cependant le prince de Montpensier, qui voyait que la princesse ne revenait point de son évanouissement, la laissa entre les mains de ses femmes, et se retira dans sa chambre avec une douleur mortelle.

Le duc de Guise, qui était ainsi sorti brusquement du parc, sans savoir quasi ce qu'il faisait tant il était troublé, s'éloigna de Champigny de quelques lieues, mais il ne put s'éloigner davantage sans savoir des nouvelles de la princesse. Il s'arrêta dans une forêt et envoya son écuyer pour apprendre du comte de Chabannes ce qui était arrivé de cette terrible aventure.

L'écuyer ne trouva point le comte de Chabannes, et il sut seulement qu'on disait que la princesse était extrêmement malade. L'inquiétude du duc de Guise ne fut qu'augmentée par ce qu'il apprit de son écuyer ; mais, sans la pouvoir soulager, il fut contraint de s'en retourner trouver ses oncles, pour ne pas donner du soupçon par un plus long voyage.

L'écuyer du duc de Guise lui avait rapporté la vérité en lui disant que Mme de Montpensier était extrêmement malade. Car il était vrai que, sitôt que ses femmes l'eurent mise dans son lit, la fièvre lui prit si violente et avec des rêveries si horribles que dès le second jour l'on craignit pour sa vie. Le prince son mari feignit d'être malade pour empêcher qu'on ne s'étonnât de ce qu'il n'entrait point dans sa chambre.

L'ordre qu'il reçut de s'en retourner à la cour, où l'on rappelait tous les princes catholiques pour exterminer les huguenots, le tira de l'embarras où il était. Il s'en alla à Paris, ne sachant ce qu'il avait à souhaiter ou à craindre du mal de la princesse sa femme. Il n'y fut pas sitôt arrivé qu'on commença d'attaquer les huguenots en la personne d'un de leurs chefs, l'amiral de Châtillon, et deux jours après l'on fit cet horrible massacre si renommé par toute l'Europe.

Le pauvre comte de Chabannes, qui s'était venu cacher dans l'extrémité de l'un des faubourgs de Paris pour s'abandonner à sa douleur, fut enveloppé dans la ruine des huguenots. Les personnes chez qui il s'était retiré l'ayant reconnu et s'étant souvenues qu'on l'avait soupçonné d'être de ce parti le massacrèrent cette même nuit qui fut si funeste à tant de gens.

Le matin, le prince de Montpensier allant donner quelques ordres hors de la ville passa dans la même rue où était le corps de Chabannes. Il fut d'abord saisi d'étonnement à ce pitoyable spectacle. Ensuite, son amitié se réveillant lui donna de la douleur ; mais enfin le souvenir de l'offense qu'il croyait en avoir reçue lui donna de la joie, et il fut bien aise de se voir vengé par la fortune.

Le duc de Guise, occupé du désir de venger la mort de son père[1] et, peu après, joyeux de l'avoir vengée, laissa peu à peu s'éloigner de son âme le soin d'apprendre des nouvelles de la princesse de Montpensier, et trouvant la marquise de Noirmoutiers[2], personne de beaucoup d'esprit et de beauté et qui donnait plus d'espérance que cette princesse, il s'y attacha entièrement, et l'aima avec cette passion démesurée qui lui dura jusqu'à la mort.

Cependant, après que la violence du mal de Mme de Montpensier fut venue au dernier point, il commença à diminuer. La raison lui revint, et, se trouvant un peu soulagée par l'absence du prince son mari, elle donna quelque espérance de sa vie. Sa santé revenait pourtant avec grand-peine par le mauvais état de son esprit, qui fut travaillé[3] de nouveau, se souvenant de n'avoir eu aucunes nouvelles du duc de Guise pendant toute sa maladie. Elle s'enquit de[4] ses femmes si elles n'avaient point de lettres, et, ne trouvant rien de ce qu'elle eût souhaité, elle se trouva la plus malheureuse du monde d'avoir tout hasardé pour un homme qui l'abandonnait.

---

1. Décidé à conquérir Orléans, fief protestant, François de Guise assiégea la ville et y fut tué en février 1563 par Jean de Poltrot de Méré, aristocrate français protestant qui avait juré sa perte.
2. En réalité, ce n'est qu'en 1584 que Charlotte de Beaune-Semblançay (1551-1617) épouse en secondes noces François de la Trémoille, marquis de Noirmoutier. En son temps, cette dame d'honneur de Catherine de Médicis fut considérée comme une femme d'une grande beauté.
3. Tourmenté (« travail » vient du latin *tripalium* qui désignait un instrument de torture).
4. Demanda à.

Ce lui fut encore un nouvel accablement d'apprendre la mort du comte de Chabannes, qu'elle sut bientôt par les soins du prince son mari.

L'ingratitude du duc de Guise lui fit sentir plus vivement la perte d'un homme dont elle connaissait si bien la fidélité. Tant de déplaisirs si pressants la remirent bientôt dans un état aussi dangereux que celui dont elle était sortie, et comme Mme de Noirmoutiers était une personne qui prenait autant de soin de faire éclater ses galanteries que les autres de les cacher, celles de M. de Guise et d'elle étaient si publiques que, tout éloignée et malade qu'était la princesse de Montpensier, elle l'apprit de tant de côtés qu'elle n'en put douter.

Ce fut le coup mortel pour sa vie. Elle ne put résister à la douleur d'avoir perdu l'estime de son mari, le cœur de son amant et le plus parfait ami qui fut jamais. Elle mourut peu de jours après, dans la fleur de son âge[1], une des plus belles princesses du monde et qui aurait été la plus heureuse si la vertu et la prudence eussent conduit toutes ses actions.

---

1. On ignore la date de sa mort.

Du tableau

au texte

Agnès Verlet

Du tableau au texte

Portrait de Brigida Spinola Doria
de Pierre Paul Rubens
(1577-1640)

... la jeune marquise de trois quarts, posant devant son palais, dans une riche robe d'apparat...

Un siècle sépare la publication de la nouvelle de Mme de Lafayette, *La Princesse de Montpensier*, en 1662, de la description de la cour de Charles IX qui en est le cadre, puisque le récit se déroule entre le mariage de la princesse, en 1568, et le massacre de la Saint-Barthélemy, en 1572. C'est à cette époque de Renaissance finissante et de maniérisme baroque que se forma le peintre Pierre Paul Rubens, d'abord à Anvers, puis en Italie, où il séjourna de 1600 à 1608, avant de retourner à Anvers. Alors qu'il était devenu le peintre officiel des Gonzague, à Mantoue, l'artiste exécuta de nombreux tableaux pour des familles aristocratiques de Venise, de Rome et de Gênes, comme ce portrait de Brigida Spinola Doria, en 1606 : c'est une peinture à l'huile (152 × 99 cm), représentant la jeune marquise de trois quarts, posant devant son palais, dans une riche robe d'apparat. De l'imposante collerette empesée et de la haute coiffure sophistiquée n'émerge que son visage, à l'incarnat délicat, tandis que la lourde robe de satin qui engonce son corps et raidit sa silhouette ne laisse libres et visibles que les deux mains, l'une pendante, l'autre tenant un éventail. La raideur du modèle et le faste de son costume sont accentués par l'austérité du décor architectural qui encadre la jeune femme et la somptuosité du rideau rouge qui se déploie au-dessus de son visage : il s'agit d'un portrait de cour, destiné à mettre en scène un personnage de la grande noblesse italienne, la belle épouse du marquis génois Giacomo Massimiliano Doria, illustrant par la même occasion la magnificence du commanditaire et, au-delà, de la famille Doria, une des plus riches et des plus influentes de l'Italie renaissante.

Ce qui émane de ce portrait est d'abord l'extraordinaire beauté de la marquise qui, comme la princesse de Montpensier lorsqu'elle apparaît à la cour en 1570, frappe les esprits et attire les regards, au point que « la beauté de la princesse [...] effaça toutes celles qu'on avait admirées jusques alors ». Une beauté telle que le duc d'Anjou et le roi qui l'aperçurent sur la barque, la « crurent surnaturelle » et la distinguèrent entre toutes, car elle était « habillée magnifiquement ». Au-delà de sa beauté et des apparences, l'écrivain met au jour les sentiments contradictoires et contrariés de cette « belle personne » en la montrant aux prises avec les passions amoureuses, les intrigues de cour et les violences des guerres. De la même façon, le peintre cherche à percer le mystère d'un être, et la puissance de son portrait vient du contraste entre la vitalité, la sensibilité, l'intensité émotionnelle qu'exprime le visage de son modèle, et la tyrannie de l'apparence, l'écrasement de l'apparat, la contrainte de la pose, dont il représente les effets dans leurs moindres détails.

... le portrait a une évidente fonction ostentatoire...

Le décor participe de cette mise en scène contrastée de la jeune marquise : la colonnade du palais Doria, sur la terrasse duquel elle pose, constitue un fond sombre et austère, qui limite l'espace sans l'ouvrir sur le paysage du jardin, puisque la toile en son état actuel a été coupée sur les côtés et à la hauteur des genoux. Les lignes verticales des colonnes cannelées sont brisées par les diagonales qui structurent la perspective. Pourtant, à la rectitude de cet entrecroisement de lignes droites s'oppose le bouillonnement du rideau rouge avec ses volutes de draperies et ses courbes tourbillonnantes, qui confère au portrait une dimension théâtrale et insiste sur une volonté de mise en scène. Les couleurs chaudes, légèrement ombrées, de ce fond brun et rouge accentuent la luminosité du portrait surgissant de l'architecture qui l'encadre. Lors de son séjour en Italie, le peintre du Nord a beaucoup appris de Michel-Ange, du Caravage, de Tintoret et de Titien, chez qui la dynamique de la couleur produit des effets théâtraux et accentue les contrastes. Chez les peintres de la Renaissance italienne, il trouve un raffinement de luxe, une plasticité des formes, une exaltation de la couleur qu'il sait mettre au service de son art de portraitiste.

Œuvre coûteuse commandée par un riche aristocrate au peintre de la cour de Mantoue, le portrait a une évidente fonction ostentatoire, et le costume d'apparat porté par la jeune marquise est destiné à rendre publique la richesse du commanditaire autant que la beauté de son épouse. La femme ainsi exhibée entre les colonnes d'un palais est prisonnière d'une mode, d'un costume, mais aussi d'une volonté politique d'ostentation au service de laquelle le peintre met tout son talent. La robe de satin ivoire occupe la moitié de l'espace et attire le regard, par les reflets lumineux et les jeux de lumière et d'ombre que produisent les plis du tissu. Cette matière somptueuse, appelée velours bien que ce soit du satin, était une spécialité de Gênes (*velluto di Genova*), et les robes des femmes de l'aristocratie génoise peintes par Rubens en montrent les splendeurs. Dans un portrait de la même époque, Rubens a représenté une autre aristocrate, d'une famille rivale, Maria Serra Pallavicino, assise sur un trône entièrement recouvert par le déploiement d'une telle robe de *velluto* fermée par une fraise de dentelle plate, encore plus volumineuse, sur laquelle son visage semble posé comme sur un plateau. Pour le peintre, le costume est un champ d'observation incessant qui lui permet d'exploiter les pouvoirs d'un dessin précis et d'exprimer son art de coloriste. Tout au long de sa carrière, Rubens s'est ainsi attaché à représenter avec minutie les variations de couleurs, de matière, de lumière que produisaient les tissus, les broderies, les passementeries.

... ainsi alternent l'ombre et la lumière, le blanc ivoire et l'or cuivré...

La robe de la marquise Doria, en satin ivoire, offre au regard les chatoiements subtils de l'ombre et de la lumière. La brillance du tissu accroche des reflets changeants et produit des reliefs, des volumes au gré des plis qui se déploient en corolle. Le buste est prisonnier et la poitrine écrasée par un haut baleiné, qui serre la taille et la comprime en pointe, tandis que les plis de la robe retombent autour d'un vertugadin en cône. Les manches sont serrées sur les poignets, délicatement ouvragées et bordées de dentelles, tandis que l'emmanchure s'ouvre sur une sorte de cape doublée d'un satin mordoré qui forme sans doute une traîne. Toutes les coutures sont rehaussées de broderies et d'incrustations de perles ambrées qui soulignent les découpes et la sophistication du vêtement agrémenté d'un long collier de même couleur, lequel s'harmonise avec les cheveux frisés, blond vénitien, dont la coiffure est surmontée de précieuses aigrettes. Cette même couleur cuivrée est reprise dans les ornements de pierreries qui soulignent la silhouette et brisent l'uniformité du tissu : ainsi alternent l'ombre et la lumière, le blanc ivoire et l'or cuivré. Et si les manches sont finement brodées, le travail le plus délicat revient à la dentellerie de la fraise et des poignets. Suivant une mode qui est passée des hommes aux femmes, le cou de la marquise émerge d'une fraise empesée, volumineuse collerette complètement fermée, qui couvre la gorge et entoure le cou, aux plis froncés et godronnés, rigidifiés par l'amidon, aux rebords subtilement travaillés de dentelles et de perles. Rubens, par la précision de son dessin et la délicatesse de sa palette, se montre fin observateur et admirateur certain des ouvrages précieux qui font la mode. L'observation de son modèle est un défi à son talent de coloriste, et comme le remarquera Diderot deux siècles plus tard dans ses essais sur la peinture, à propos du grand coloriste, trempant son pinceau dans le « chaos » de sa palette : « Il se lève, il s'éloigne, il jette un coup d'œil sur son œuvre ; il se rassied ; et vous allez voir naître la chair, le drap, le velours, le damas, le taffetas, la mousseline, le drap, le velours, le damas, le taffetas, la mousseline, la toile, le gros linge, l'étoffe grossière... » Ainsi dans le célèbre double portrait des *Ambassadeurs*, outre les fastueux costumes des deux personnages, le tissage du tapis de table est si subtilement reproduit qu'il rend visible l'entrecroisement de la chaîne et de la trame.

Pourtant, si un tel étalage de richesses et d'art produit un effet d'écrasement et de contrainte pour cette jeune femme qui se trouve être l'instrument d'une démonstration politique et l'objet d'une mise en scène, le peintre est particulièrement attentif à la sensibilité frémissante qui en émane, et il met en évidence la beauté bouleversante de son modèle, au-delà de la magnificence de son rang : son visage émerge de la collerette et affirme sa vitalité par l'incarnat de la chair, la couleur rosée des pommettes ; posant de trois quarts, elle tourne la tête vers le spectateur qui est interpellé par le regard chaud des yeux d'un noir profond.

... l'éclat de ses yeux sous un front diaphane...

La capacité des portraitistes à « rendre » la vie, le frémissement de la chair, la dynamique cachée des sentiments a suscité l'admiration de Diderot qui, ayant lui-même posé pour ses contemporains, Fragonard, Chardin, et d'autres, s'émerveillait qu'un peintre puisse ainsi animer sa toile, par le seul jeu de la couleur et la lumière. Dans ce portrait de femme, la finesse des traits, la délicatesse du teint, la mobilité de l'expression semblent finalement triompher de la pose et du costume, qui entravent le mouvement et contraignent le corps, l'enfermant dans un carcan, tout autant que les règles de bienséance et le protocole de la cour. Ce corps dont les seules parties visibles sont le visage et les mains est malgré tout d'une intense présence, comme sont présentes au lecteur la duchesse de Montpensier et la violence de ses désirs contrariés. Le visage de la marquise Doria est d'un ovale parfait et ses traits, le dessin de son nez, de sa bouche et de ses sourcils, sont d'une finesse extrême. Mais c'est l'éclat de ses yeux sous un front diaphane, la lueur qui brille dans son regard, qui intéressent le peintre pour lequel elle pose, et au-delà de lui, le spectateur, nous qui la regardons. Un sourire à peine esquissé, teinté de malice ou d'ironie, fait remonter la bouche et saillir les pommettes, qu'une discrète rougeur colore ; les ailes du nez et les narines entrouvertes frémissent. Quant à la main gauche, fine, blanche, désœuvrée, elle se donne à voir, tout simplement, tandis que la droite porte mollement un inutile éventail fermé. On sent dans ce portrait toute une vitalité retenue, contenue, et pourtant d'une puissance telle qu'elle s'impose à quiconque la regarde : ce n'est pas seulement la beauté de cette femme, ni celle de ce portrait d'un grand peintre, qui nous touche, mais la vie même, son animation, son mouvement tels qu'il a su les exprimer, lui qui fait partie des artistes « phares » pour Baudelaire qui admirait l'évidence qu'exhale sa peinture, mais aussi les contradictions qu'elle fait coexister :

« Rubens, fleuve d'oubli, jardin de la paresse,
Oreiller de chair fraîche où l'on ne peut aimer,
Mais où la vie afflue et s'agite sans cesse
Comme l'air dans le ciel et la mer dans la mer. »

Le texte

en perspective

Marjolaine Forest

Mouvement littéraire

Le classicisme, de l'éthique à l'esthétique

LE « CLASSICISME » N'EST PAS UNE DÉNOMINA-
TION, ni même un concept, nés au XVIIᵉ siècle : le terme
est d'abord créé par le XIXᵉ siècle pour marquer une
rupture avec la revendication romantique de modernité,
il est ensuite récupéré par la pensée conservatrice qui
veut préserver et valoriser certaines structures sociales
et culturelles traditionnelles. Historiquement, l'on
considère que le classicisme débute vers 1660 et se ter-
mine vers 1685, coïncidant avec l'apogée du règne de
Louis XIV. De fait, la pensée et les arts dits « classiques » sont conçus par et pour l'époque dans laquelle
ils éclosent, signifiant un désir tout à fait moderne de
découvrir, comprendre et éclairer leur propre actualité :
un lien étroit unit les événements politiques aux créations du génie contemporain.

   Le mouvement intellectuel, littéraire et artistique
que l'on a appelé classicisme s'appuie sur un certain
nombre de points clefs : une capacité de penser et
d'observer le monde, l'autre et soi avec méthode, logique et discernement ; une volonté de concevoir l'œuvre
d'art dans sa permanence pour en saisir son essence et
sa signification universelle ; un attachement à la vérité
de la nature humaine, considérée non dans sa contin-

gence mais comme symbole stylisé d'un mode d'être à valeur d'exemple ; une conviction de la nécessité de règles qui doivent servir à exprimer au plus juste la beauté du monde et à interroger au plus près le sens et la place de l'être dans ce monde pour montrer la mission éthique de l'art ; enfin, une innutrition judicieuse et novatrice des modèles antiques, enrichissant et affermissant la pensée contemporaine. En somme, un classique se définit par sa constante tension vers l'excellence artistique et l'exigence morale.

1.

L'ordre souverain

1. « *Le siècle de Louis XIV* »

Pour tenter de parer aux nombreux complots fomentés par la noblesse féodale ainsi qu'à l'instabilité politique et religieuse, Richelieu puis Mazarin élaborent un système de gouvernement qui accorde au roi une autorité accrue. C'est ainsi que naît la monarchie absolue, de droit divin, qui érige le souverain au rang suprême d'envoyé de Dieu, placé au-dessus de toute juridiction humaine, concentrant entre ses mains tous les pouvoirs politiques et religieux et n'ayant de comptes à rendre qu'à Dieu lui-même ; c'est en la personne de Louis XIV que cette forme de pouvoir trouvera son représentant, tout au long des soixante années de règne du souverain (1643-1715). Richelieu prend soin de limiter la liberté de l'aristocratie, et à cette fin d'importants moyens financiers sont nécessaires à l'État et requièrent donc d'alourdir les impôts : ces mesures déclenchent le soulèvement du peuple en province, auquel se joignent les Parisiens, en un mouvement que l'Histoire retient sous le nom de la Fronde (1648-1652) et dont le but politique est de réfléchir à une solution plus modérée que le pouvoir absolu. Mais la Fronde ne fait que renforcer la monarchie et Louis XIV, dès son accession au pouvoir, choisit exclusivement des ministres d'extraction bourgeoise pour son gouvernement. Cette décision provoque l'indignation et la fureur des aristocrates, privés des plus importantes fonctions politiques et devant se contenter de charges militaires ou religieuses honorifiques, mais qui ne leur assurent ni véritable fonction, ni réelle visibilité à la cour : la noblesse est sous la dépendance directe du roi qui domine la totalité de ses sujets par sa toute-puissance, recueillant admirations, honneurs et hommages et nivelant les titres nobiliaires même les plus prestigieux. Désormais, c'est dans l'entourage du roi et de la cour qu'il convient d'être si l'on veut exister aux yeux du monde.

2. *Une société de castes*

Prescriptrice de tous les aspects de la vie sociale, la cour est entièrement régie par la personnalité et les goûts de Louis XIV qu'il s'agit de copier en tout point. C'est que Versailles constitue un milieu strictement hiérarchisé, défini par l'appartenance sociale bien plus que par l'argent. Parmi ces classes sociales favorisées, signalons la place et la fonction occupées par les femmes, à qui la période du règne de Louis XIV permet de développer et d'imposer leur influence. Ainsi, les Précieuses construisent un féminisme avant la lettre, fondé sur l'exigence du respect absolu. Certaines aristocrates entreprennent des activités d'écriture littéraires, telle Mme de Lafayette. Leur statut est bien moins glorieux au plan privé puisque les jeunes filles nobles sont condamnées à une seule alternative : un mariage digne de leur rang ou le couvent.

Le système de la monarchie absolue, s'il change profondément le mode de vie de l'aristocratie, ne modifie en rien l'indigence du peuple et révèle la dureté du système de classes qui scinde la société contemporaine. Cette structure fondée sur une extrême disparité s'applique également au sein des classes défavorisées : le mode de vie des paysans possède sa hiérarchie propre, au sein de laquelle la supériorité sociale se décide en fonction de l'aisance financière ou de l'instruction. Ainsi marquée par une injustice dominante et constante, la société louis-quatorzienne n'est pas encore prête à accueillir l'idée du bonheur pour tous les peuples, aspiration qui fondera la pensée des Lumières.

3. L'idéal de l'honnêteté

En 1528, paraît en Italie un bref ouvrage signé de Baldassare Castiglione intitulé *Il Cortegiano* (*Le Courtisan*), sorte de manuel de savoir-vivre à l'usage des aristocrates ; diffusé en France par Montaigne, il véhicule un précepte qui sera longuement développé, étudié et théorisé, jusqu'à devenir fondamental à Versailles et inspirer la rédaction d'un ouvrage français, *L'Honnête Homme ou l'Art de plaire à la cour* (Nicolas Faret, 1630).

Venu du latin *honestus* (« honoré, honorable »), le mot « honnête » n'a cessé de voir se restreindre sa signification. À l'origine, est honnête celui qui se conforme aux lois du devoir, de la vertu, de la probité et se montre brave, digne, irréprochable, loyal, moral, etc. L'honnêteté repose là aussi sur un certain nombre d'usages qui régulent maints aspects de la relation à autrui et à soi. L'idéal de l'honnêteté concerne principalement les courtisans, c'est-à-dire ceux qui vivent à la cour — en théorie, l'on peut être honnête homme si l'on est bourgeois — et savent s'y comporter en conséquence, en particulier devant le roi. L'honnête homme se signale aussi bien par sa bravoure que par le soin qu'il apporte à son apparence ou encore par son aisance dans les diverses occupations de la cour, il doit aussi faire la preuve de sa bienveillance et de sa délicatesse, manifester une érudition de bon aloi, démontrer ses talents sans en faire étalage, avoir une parfaite maîtrise du langage et veiller à l'élégance irréprochable de sa diction. Pour correspondre à ce modèle, davantage importe la valeur individuelle que l'origine sociale, la fortune ou le sexe.

L'honnêteté imprègne profondément les œuvres contemporaines autant que leurs lecteurs, tous formés à cet idéal. Elle demande de hautes capacités d'analyse des comportements et des passions, celles d'autrui ou les siennes propres, qu'il s'agit de reconnaître et de maîtriser : autant de facultés relayées par les grands auteurs du temps, qui mêlent la réflexion philosophique à la fiction littéraire et aboutissent à des œuvres de moralistes (Mme de Lafayette, La Rochefoucauld, Racine, La Fontaine, etc.).

L'honnêteté inspire également les écrivains classiques en leur inculquant le désir de modération en toute chose, de conformité à la règle, d'authenticité, de vraisemblance, et le respect de la bienséance ; accordées à l'esthétique littéraire, ces valeurs s'exprimeront toujours avec esprit, délicatesse et nuance. L'honnêteté se différencie néanmoins de la théorie classique en ce qu'elle privilégie une simplicité travaillée et une spontanéité calculée à une littérature qu'elle juge trop codifiée et excessivement subtile. La littérature classique lui emprunte ainsi essentiellement la recherche de l'équilibre, de la mesure et de la distinction dans les idées, les sentiments et l'expression. « La parfaite raison fuit toute extrémité, / Et veut que l'on soit sage avec sobriété », dit l'un des personnages du *Misanthrope*.

2.

Culture classique

1. *« Le moi est haïssable »*

À l'exemple des textes antiques et des humanistes du siècle précédent, les auteurs classiques visent à la description la plus exacte possible de la nature humaine plutôt qu'à une subjectivité particulière, s'efforçant pour cela à la plus grande objectivité. De sorte que nul auteur classique ne saurait se livrer à quelque exhibition de sa propre intériorité : la vérité intime de son être est à déceler entre les lignes de ses œuvres. C'est ce travail littéraire de recomposition du réel qui confère aux textes classiques leur valeur atemporelle et leur éloquence et les rend aptes à entreprendre et à entretenir le dialogue avec le lecteur à travers le temps. C'est ainsi que la discipline esthétique devient nécessaire au domaine éthique, les unissant dans un même but : éclairer la compréhension par l'individu de sa propre présence au monde et de sa relation à autrui et l'aider à concevoir cette présence hors des strictes limites de sa propre singularité.

Cette quête d'ordonnancement et de rationalisation de la vie artistique comme de la morale s'accorde à l'atmosphère instaurée par la monarchie absolue : celle-ci semble inspirer la certitude que seule l'obéissance à la règle permet de mieux penser et agir dans le constant respect de la sagesse, de l'authenticité et de l'ordre du monde, valeurs bien supérieures, selon la pensée classique, aux contingences de l'existence individuelle.

2. *L'empire de la raison*

L'importance accordée par les classiques à la raison (c'est-à-dire à la faculté de conduire son esprit avec sagesse, tempérance et dans une juste compréhension du monde) s'appuie en premier lieu sur le *Discours de la méthode* de Descartes, paru en 1637. Ce mode de pensée que, par référence à son auteur, l'on nomme le cartésianisme, affirme la nécessité du scepticisme et du doute systématiques pour employer correctement les ressources de son esprit et repose sur une démarche intellectuelle qui entend s'inspirer des mathématiques et de « la certitude et l'évidence de leurs raisons ». Cette radicale remise en question de toute chose fonde un nouveau rapport de l'homme à la science mais aussi au monde, qu'il s'agit désormais d'appréhender avec logique et dans sa totalité. Les auteurs classiques retrouvent dans les convictions de Descartes leur propre attachement à la règle et à la maîtrise des passions.

Mais c'est surtout le développement au cours du siècle du jansénisme qui avive le goût classique de la rigueur intellectuelle et de l'intransigeance morale.

3. *Jansénisme et classicisme*

Convaincus de la déchéance à laquelle est condamnée la créature humaine depuis le péché originel, les
théologiens jansénistes enjoignent de prier Jésus-Christ
et d'observer une parfaite piété ; leur conception pessimiste de l'humanité est relayée et amplifiée par l'évê-
que flamand Cornelius Jansen — ou Jansénius (1585-
1638) — dont paraît l'*Augustinus* (1640), ouvrage théo-
logique lui-même inspiré de la doctrine de saint Augus-
tin, philosophe religieux. Vers le IVe siècle, ce penseur
affirme déjà que l'homme sans Dieu est promis aux
abîmes de la tentation et des passions auxquelles sa raison et sa force morale sont impuissantes à l'arracher.
Seule voie d'accès au salut : consacrer sa vie entière à
aimer Dieu par-dessus tout et renoncer au « monde »,
c'est-à-dire à la vie mondaine et ses séductions, indignes
du vrai chrétien. Cet effort ne peut cependant pas
s'accomplir sans le secours de la grâce divine, « grâce
efficace », pour avancer sur le chemin de la conversion.
Mais selon la théorie janséniste, Dieu réserve sa grâce à
un nombre restreint de pécheurs dont la prédestination
à être sauvés dépend de Dieu seul plutôt que des méri-
tes humains.

En ce qu'il nécessite des qualités d'exception, le jansénisme fascine certains membres de l'aristocratie parmi
lesquels plusieurs auteurs classiques (dont Mme de
Lafayette) : la doctrine janséniste les aide à affiner dans
leurs œuvres l'analyse psychologique et la réflexion
morale, ainsi qu'une clairvoyance capable de discerner
les défaillances, les irrésolutions et les incohérences de
l'âme.

Pour prolonger la réflexion...

... en lisant des œuvres classiques

1637   René Descartes, *Discours de la méthode*. Pierre Corneille, *Le Cid*.
1640   Jansénius, *Augustinus* (posth.)
1647   Claude de Vaugelas, *Remarques sur la langue française*.
1649   René Descartes, *Traité des passions de l'âme*.
1656-1657 Blaise Pascal, *Provinciales*.
1662   Jacques-Bénigne Bossuet, *Sermon sur la mort*.
1664   François de La Rochefoucauld, *Maximes*.
1666   Molière, *Le Misanthrope*.
1668   Jean de La Fontaine, *Fables* (livres I à VI).
1670   Blaise Pascal, *Pensées* (posth.).
1674   Nicolas Boileau, *Art poétique*.
1677   Jean Racine, *Phèdre*.
1685   Antoine Furetière, *Dictionnaire*.
1688   Jean de La Bruyère, *Les Caractères*.

... en lisant des textes critiques

Antoine ADAM, *Histoire de la littérature française au XVIIe siècle* (t. II), Paris, Albin Michel, 1997.

André BLANC, *Lire le classicisme*, Dunod, 1995.

René BRAY, *La Formation de la doctrine classique en France*, Paris, Nizet, 1966.

Suzanne GUELLOUZ, *Le Classicisme*, Gallimard, 2007.

René JASINSKI, *À travers le XVIIe siècle* (t. II), Paris, Nizet, 1981.

Jean ROHOU, *Le Classicisme*, Presses universitaires de Rennes, 2004.

Genre et registre

La nouvelle historique : vers un art de la rigueur

DÈS LE RÈGNE DE LOUIS XIII S'OPPOSENT LES « ROMANS », véritables sommes littéraires, et les « nouvelles » héritées du XVe siècle. Ces dernières sont beaucoup plus succinctes et, à l'origine, leur intérêt procède de leur caractère authentique et inédit. Les romans de ce premier XVIIe siècle sont en fait principalement des fictions qui multiplient les aventures prodigieuses ou fantastiques, et qui surtout exaltent l'imagination.

Cette différenciation entre récits brefs et romans participe à distinguer les genres romanesques. Les romans mondains s'adressent aux lecteurs raffinés, en quête de rêve et de distractions : celles-ci leur sont fournies par des intrigues sentimentales extravagantes et invariablement contrariées, des sentiments idéalisés, des personnages d'exception, des attitudes exemplaires. La bourgeoisie s'intéresse bien davantage à des romans plus proches de l'existence ordinaire, dont le romanesque ne s'absente pas mais, latent et implicite, réside plutôt dans un retournement systématique et délibéré de ses propres codes. Car l'essentiel pour les lecteurs reste le besoin d'une escapade hors de la banalité quotidienne, possibilité offerte aussi bien par la gaieté que par la rêverie. De sorte que ces deux tendances conduisent peu à peu vers une séparation entre les ouvrages privilégiant l'analyse psychologique et ceux privilégiant l'étude sociale.

1.

Aux origines de la nouvelle :
les métamorphoses du roman

N otre roman moderne doit plusieurs de ses caractéristiques aux formes romanesques créées au XVIIe siècle, qui le constituent en genre littéraire. En effet, la conjugaison de divers facteurs d'ordre social autant que littéraire contribue à promouvoir le roman à une dignité nouvelle : son succès grandissant auprès du public encourage une plus large diffusion d'ouvrages variés. Reflet des deux courants esthétiques du siècle (baroque et classicisme), le récit balance entre deux types : d'une part, le roman cédant aux charmes du merveilleux, de la fantaisie et de la pure fiction, fondé sur une prise de distance radicale avec le réel, d'autre part, le roman gouverné par la vraisemblance et l'exactitude, visant à restituer la vérité du monde. Dès lors, ces deux tendances littéraires vont continuellement s'entrecroiser, voire se féconder. Surtout, le XVIIe siècle élève le roman au rang d'œuvre d'art : par son unité et sa structure propre, il offre une manière de réalité parallèle au sein de laquelle les personnages et les situations proposent des modèles ou des références qui accompagnent le lecteur dans son apprentissage du monde.

C'est que la notion de romanesque empreint profondément les lecteurs du premier XVIIe siècle : les comportements, modes de pensée et d'action ou sentiments se calquent sur les situations ou les personnages décrits dans les romans, que ceux-ci se rattachent au courant « romanesque » ou bien au courant « réaliste ». En outre, cette époque Louis XIII correspond au triomphe de l'art baroque dont les caractéristiques se retrouvent dans le roman et ses procédés narratifs ; ceux-ci suivent un principe d'exubérance et de variation permanentes : le récit-cadre est entrecoupé de récits secondaires également fragmentés par mille péripéties. Les intrigues multiples, les focalisations diverses, les retours en arrière, les artifices et travestissements scandent un récit fondé sur la récurrence et l'interversion des thèmes et des épisodes, qui renvoient ainsi continuellement les uns aux autres. Cette dissémination concerne aussi les personnages et leur destin, dominé par la versatilité d'un hasard contraire ou mouvant. De surcroît, ces romans sollicitent l'imaginaire visuel du lecteur : saturés de toutes sortes d'objets d'art, ils font alterner passages descriptifs, grandiloquents, poignants, voire violents ou effrayants.

1. *Le roman pastoral*

Dès sa parution en 1607, *L'Astrée*, d'Honoré d'Urfé, connaît un succès foudroyant : composé de près de cinq mille pages, ce roman-fleuve mêle divers courants et inspirations littéraires (romans de chevalerie, romans d'amour, pastorales) et suscite l'intérêt immédiat pour un mode de vie bucolique qu'il idéalise et magnifie largement : les bergers et bergères imaginés par d'Urfé sont des créatures sublimes, raffinées et admirables, animées de grands sentiments et de subtiles préoccupations sentimentales. Non point issus du peuple mais de la noblesse, ces personnages décident de s'établir à la campagne « pour vivre plus doucement et sans contrainte ». Réactualisant le mythe de l'âge d'or, *L'Astrée* vise aussi à revivifier les traditions françaises et à glorifier la fierté de la nation. S'essayant à de sérieuses réflexions ou à de savantes discussions sur les multiples nuances du sentiment amoureux, ses personnages élaborent une véritable doctrine de l'amour, tradition littéraire reprise par les romans précieux puis par le roman d'analyse au cours du siècle. Ayant pour but une quête de Dieu, l'amour tel que le définit *L'Astrée* tend vers une spiritualisation où prévalent la considération, le respect, la sagesse, la dignité et la vertu.

La construction de l'œuvre, fidèle à l'esthétique baroque, multiplie les intrigues croisées, les structures en écho ou en contraste, les discontinuités, les interruptions, les accélérations ou décélérations, les quiproquos, allie prose et poésie pour ménager un équilibre entre expressivité et précision, emprunte à l'art pictural ses scènes imagées, fastueuses ou charmantes.

2. *Le roman héroïque*

À la mode pastorale succède le goût pour les aventures extravagantes et les entreprises échevelées, fondées en particulier sur la notion d'héroïsme guerrier. La « génération Louis XIII », qui évolue dans une atmosphère de cabales, est accoutumée aux combats tant militaires que politiques et veut à présent trouver dans les romans des cadres et des personnages héroïques ; cette idée englobe le roman d'aventures d'une part, le roman historique d'autre part. Apparu vers 1625, le roman d'aventures s'inspire largement des romans médiévaux ou antiques dont il réutilise abondamment les procédés narratifs : développements compliqués, personnages extraordinaires, passions extrêmes, paysages fascinants et inconnus. À ces éléments typiquement « romanesques » s'ajoute l'authenticité du contexte historique (La Calprenède, par exemple, choisit pour ses œuvres l'Antiquité égyptienne ou la période gallo-romaine). Mais la vérité historique est travestie, l'idéal moral se concentre sur les règles de comportement en usage dans le monde de l'aristocratie militaire, les mentalités obéissent à des bienséances immuables : l'essentiel demeure la préservation du « suspense » pour un lecteur que l'on cherche avant tout à déconcerter, à inquiéter, à intriguer, à attendrir, à enchanter, bref à divertir. Le roman historique se préoccupe également de réhabiliter ce genre littéraire quelque peu décrié qu'est alors le roman en lui inventant une filiation avec les épopées de l'Antiquité grecque ou latine : leurs protagonistes, tous princes de sang ou conquérants militaires, peuplent un univers où la noblesse de caractère n'a d'égale que la gloire des actes.

Parmi ces romans héroïques, se remarque le roman précieux qui constituera l'une des sources d'inspiration de Mme de Lafayette : exploitant lui aussi la veine aventureuse, historique et sentimentale, il trouve son originalité dans la transposition de la société précieuse à l'intérieur de la fiction racontée. De surcroît, les auteurs de romans précieux excellent dans l'analyse psychologique, y déployant une finesse et une sagacité remarquables. Se découvre également dans ces romans une vision étonnamment moderniste du monde et des rapports entre les êtres, qui préconise le respect, la tolérance religieuse, l'égalité entre hommes et femmes, loue les vertus de la délicatesse et de l'imagination et érige l'amour en valeur suprême.

3. « *Histoires comiques* »

À la même période, concurrençant cette efflorescence du romanesque, d'autres récits que l'époque dénomme « histoires comiques » entendent plutôt décrire le monde sinon tel qu'il est du moins dans sa véracité la plus grande. Ces « histoires comiques » s'inscrivent dans un héritage littéraire initié par les romans burlesques de l'Antiquité latine (le *Satiricon* de Pétrone, les *Métamorphoses* d'Apulée), et perpétué successivement par les fabliaux du Moyen Âge, les contes joyeux de la Renaissance (Rabelais), le roman picaresque, puis les parodies de romans de chevalerie (*Don Quichotte* de Cervantès). S'inspirant des milieux populaires ou bourgeois, ces fictions n'hésitent pas à traiter ouvertement de réalités ordinaires, médiocres, voire triviales. Les personnages de ces romans, mendiants ou bandits, mettent en relief la réalité des milieux pauvres ou marginaux.

4. « *Histoires tragiques* »

Ce rejet des chimères et des stéréotypes cultivés par le roman sentimental franchit un degré en trouvant son inspiration dans les faits divers macabres ou sanglants, suivant le modèle des *Histoires tragiques* de Matteo Bandello parues en France en 1557. Les fictions françaises ainsi créées se présentent comme des nouvelles peuplées de sinistres figures diaboliques, d'effroyables forfaits et de vices inimaginables. On connaît notamment François Rosset et ses *Histoires tragiques de notre temps* (1614) : sous le masque de l'indignation bienséante et du sermon édifiant, l'œuvre est représentative du plaisir trouble engendré par la description d'atrocités extrêmes, lesquelles participent d'ailleurs de l'esthétique baroque.

La volonté de « faire vrai » engendre logiquement le désir de l'écriture autobiographique : peu nombreux, les écrivains habités par ce désir (Théophile de Viau et surtout Tristan L'Hermite avec son *Page disgracié* en 1643) rencontrent néanmoins une fortune certaine auprès du public, séduit à la fois par l'ancrage vériste de ces récits et par le contenu amusant. L'intérêt de ces premières « fictions du moi » tient, en outre, à l'expression d'une personnalité singulière, riche et intéressante.

Pour en savoir plus sur le roman

Le terme selon Henri Coulet
(*Le Roman jusqu'à la Révolution*, Armand Colin, 1967)

« Par opposition à la *lingua latina*, langue écrite, langue savante, on désignait au IXᵉ siècle sous le nom de *lingua romana* le latin abâtardi couramment parlé sur les territoires occidentaux de ce qui avait été l'Empire romain ; de cette *lingua romana* diversifiée naquirent les langues néo-latines que nous appelons précisément langues romanes. Au début du XIIᵉ siècle, pour nous en tenir aux limites de la France actuelle, le *romanz* est une langue vulgaire parlée dans le Nord, ou bien une langue vulgaire parlée dans le Midi, dans tous les cas une langue vivante qui s'oppose au latin. D'où le second sens du mot *roman* : texte en langue vulgaire qui résulte de la traduction ou du remaniement d'un texte latin ; puis, par un glissement de sens accompli au milieu du XIIᵉ siècle, récit fait directement en langue *romane*, nous pouvons dire en langue française. »

Le genre selon Pierre-Daniel Huet
(*Lettre-traité de l'origine des romans*, 1670)

« Autrefois, sous le nom de romans on comprenait, non seulement, ceux qui étaient écrits en prose, mais

plus souvent encore ceux qui étaient écrits en vers […].
Mais aujourd'hui l'usage contraire a prévalu, et ce que
l'on appelle proprement romans sont des fictions d'aventures amoureuses, écrites en prose avec art, pour le plaisir
et l'instruction des lecteurs. Je dis des fictions, pour les
distinguer des histoires véritables. J'ajoute, d'aventures
amoureuses, parce que l'amour doit être le principal sujet
du roman. Il faut qu'elles soient écrites en prose, pour
être conformes à l'usage de ce siècle. Il faut qu'elles soient
écrites avec art, et sous de certaines règles ; autrement ce
sera un amas confus, sans ordre et sans beauté. La fin
principale des romans, ou du moins celle qui le doit être,
et que se doivent proposer ceux qui les composent, est
l'instruction des lecteurs, à qui il faut toujours faire voir la
vertu couronnée et le vice châtié. Mais comme l'esprit de
l'homme est naturellement ennemi des enseignements, et
que son amour-propre le révolte contre les instructions, il
le faut tromper par l'appât du plaisir, et adoucir la sévérité des préceptes par l'agrément des exemples, et corriger ses défauts en les condamnant dans un autre. »

2.

Les genres mondains : esthétique de la forme brève

L e genre littéraire fréquemment qualifié de mondain marque une étape essentielle dans l'évolution
du roman vers la nouvelle. Les auteurs des œuvres que
l'on classe dans le genre mondain choisissent la littérature pour tromper un isolement et un désœuvrement
fort pénibles à des êtres ayant en commun une très vive
sensibilité. Issus de la noblesse (Mme de Lafayette, la
marquise de Sévigné, La Rochefoucauld) ou de la haute

bourgeoisie (La Fontaine, Perrault), ils fréquentent les mêmes cercles, partagent les mêmes références et leurs œuvres se ressentent de cette proximité, révélant une unité dans les thèmes abordés comme dans leur esthétique. Profondément imprégnés des valeurs de leur catégorie sociale, ils ne veulent d'autres lecteurs que leurs pairs et refusent d'ailleurs de faire profession d'écrivain, considérant l'écriture comme un aimable passe-temps.

Éloignée d'une érudition austère, compassée ou conventionnelle, davantage dirigée par le sens de la nuance, le souci de l'élégance et du naturel, accueillant volontiers la modernité, leur écriture opte pour le détachement, la désinvolture et la simplicité. Ainsi affranchis des usages littéraires propres aux genres institués, leur travail sur la langue gagne en spontanéité, en vivacité et en créativité. Il en ressort des œuvres extraordinairement modernes et inventives pour l'époque, portant le sceau d'une individualité propre qui trouve d'inépuisables richesses dans l'écriture, dans l'exploration du cœur et de l'âme, dans le savoir et dans l'ouverture au monde.

1. *La perfection épistolaire de Mme de Sévigné*

Cette amie intime de Mme de Lafayette est très tôt réputée pour sa grâce et son intelligence au sein de l'aristocratie parisienne. C'est par sa correspondance privée, des lettres adressées à une fille passionnément aimée mais que le mariage a éloignée, que Mme de Sévigné nous est aujourd'hui connue. L'originalité de son style se fonde sur un esprit curieux et observateur, habile à ressaisir dans leur intensité tous les événements de l'existence, joyeux ou sombres, illustres ou insignifiants.

Entre autres visées, ces lettres se donnent pour tâche de décrire à leurs destinataires la vie à la cour. Son souci de plaire conduit la marquise à chercher sans cesse une vivacité de ton, des expressions frappantes et ingénieuses, des histoires divertissantes, de manière à éveiller non seulement l'intérêt mais encore l'admiration. Si bien que les moindres anecdotes, les indiscrétions ou les ragots deviennent prétextes à la création littéraire ; mais cette constante recherche artistique conserve une apparente insouciance, évitant la futilité comme l'affectation. « Votre manière d'écrire, libre et aisée, me plaît bien davantage que la régularité de Messieurs de l'Académie », lui écrit son cousin, l'écrivain Bussy-Rabutin. La marquise veille aussi à cultiver dans ses lettres une impression de sincérité et d'authenticité afin de préserver le langage de l'âme. De fait, le ton volontiers léger sait aussi atteindre un pathétique émouvant pour dire à l'absente sa douleur et son amour. À la fois rappel et conjuration du manque, la lettre finit par devenir un besoin en soi pour l'épisto-lière, qui noue dans le même flux l'écriture, l'amour et la perte. (« Eh quoi, ma fille, j'aime à vous écrire, cela est épouvantable, c'est donc que j'aime votre absence ! »)

Les *Lettres* de la marquise constituent enfin une auto-biographie et une introspection : entre joie d'être au monde, émerveillement du quotidien, interrogations métaphysiques ou pieuse gravité, ses impressions, senti-ments, sensations ou réflexions, saisies dans l'instant même de leur jaillissement, confèrent aux choses racon-tées une sensibilité tout intime qui achève de donner leur valeur à ces *Lettres* ; de sorte que celles-ci sont peut-être à lire en définitive surtout comme la révéla-tion d'une âme à elle-même.

2. *L'acuité morale de La Rochefoucauld (1664)*

Issu d'un très ancien lignage aristocratique, François VI de La Rochefoucauld — autre ami très cher au cœur de Mme de Lafayette — évolue toute sa jeunesse dans le sillage des plus hauts personnages de l'État et se retrouve mêlé à leurs manœuvres pour s'emparer du pouvoir politique. Son manque de prudence durant sa participation à la Fronde lui attire de la part de Louis XIV une disgrâce qui ne prendra jamais véritablement fin. Désormais privé de fonctions politiques, il partage son temps entre mondanités et littérature. Dès leur parution, clandestine, en 1662, ses *Maximes et sentences morales* connaissent un succès de scandale qui ne se dément pas à leur parution officielle en 1664.

L'idée de l'œuvre est donnée à La Rochefoucauld par un jeu de société pratiqué dans les salons, sur le modèle des philosophes antiques : une *maxima sententia*, « pensée de la plus haute importance » destinée à édifier, était érigée en règle de sagesse et formulée de manière à être mémorisée facilement ; pour les mondains du XVIIᵉ siècle, il s'agissait de créer chacun à tour de rôle et de s'échanger ces réflexions en les retravaillant collectivement. La Rochefoucauld se prend de passion pour ce divertissement intellectuel au point d'en faire une œuvre littéraire, et par sa personnalité il renouvelle le genre. Se voulant « un portrait du cœur de l'homme », ses *Maximes* sont à la fois étude de caractères et étude de mœurs, orientées cependant selon le jugement intransigeant de leur auteur sur ses semblables. L'exergue affirme : « Nos vertus ne sont, le plus souvent, que des vices déguisés », et il s'agit, en effet, pour cette œuvre de mettre en doute les qualités morales que nous attribuons à autrui ou, plus encore, à nous-mêmes. Pour autant, l'on ne saurait y trouver quelque continuité d'ensemble : concises et ciselées, les maximes s'enchaînent. Le recueil offre ainsi un écart frappant entre la sombre austérité du propos et le brillant modelage de la forme adoptée.

À cet égard se perçoit l'influence croisée de l'augustinisme, du jansénisme et des salons. Néanmoins, à rebours de tout projet religieux, les observations de La Rochefoucauld n'ouvrent à aucune perspective consolante ou éclairante, livrant de simples constats. *Les Maximes* rejoignent plutôt la tendance vers laquelle le siècle s'achemine, s'employant à détruire les rêveries idéalistes, héroïques ou sentimentales du siècle de Louis XIII. Pour autant, l'œuvre ne blâme pas les vertus morales analysées ; convaincu de leur importance, La Rochefoucauld incrimine les comportements qui les faussent, les caricaturent ou les avilissent. L'œuvre perpétue également l'héritage de la préciosité littéraire, perceptible dans le choix de mots inusités et inattendus, dans la pratique du trait d'esprit et de la saillie ; son génie tient aussi à un emploi tout personnel du comique et de la satire et à un don pour le jeu littéraire.

3. *L'élégance subtile des* Fables *de La Fontaine (1668-1693)*

Né en 1621 au sein d'une famille de la bourgeoisie champenoise, La Fontaine bénéficie du mécénat de Fouquet, surintendant des Finances, grâce à qui il fréquente de grandes figures de la cour (notamment Charles Perrault, Mme de Sévigné, La Rochefoucauld, le cardinal de Retz, Mme de Lafayette). L'arrestation de Fouquet en 1661, si elle compromet un temps sa situation financière

et sociale, inspire au poète ses premiers succès littéraires (*Élégie aux nymphes de Vaux*, 1661 et *Ode au Roi*,
1663) ; ayant retrouvé rapidement une protection à la
cour auprès de Marguerite de Lorraine, La Fontaine
confirme son succès en 1665 avec des *Contes et Nouvelles*
en vers puis en 1668 avec le premier recueil des *Fables*.
À partir de 1673, désormais placé sous la double protection de Mme de La Sablière et de Mme de Montespan, il
peut alors se vouer en toute quiétude à l'écriture : le
deuxième recueil des *Fables* paraît entre 1678 et 1679,
suivi de plusieurs œuvres de genres littéraires variés.
Avec le consentement de Louis XIV, il entre à l'Académie française en 1684. La Fontaine continue à mener
une existence tournée vers les plaisirs et quelques liberti-
nages jusqu'à ce que la maladie le conduise, en 1692, à
s'amender : il meurt pieusement en 1695, deux ans après
la parution du troisième et dernier recueil des *Fables*.

Cette œuvre lui assure non seulement le triomphe,
mais encore une notoriété qui se prolonge trois siècles
plus tard. Si elles paraissent en trois fois, les *Fables* sont
en réalité pensées et écrites comme une continuité en
laquelle se discerne un graduel perfectionnement.
Plaçant tout d'abord son œuvre sous les auspices de la
tradition gréco-latine (Ésope et Phèdre), La Fontaine ne
tarde pas à s'en émanciper en puisant dans les auteurs
orientaux ou en multipliant les tonalités et les registres.
C'est de là que les *Fables* tirent leur surprenante variété
dans l'unité. L'esthétique de la négligence, l'intention
amusante et plaisante se combinent à un travail méthodi-
que et approfondi de composition littéraire. La Fontaine
évite l'écueil du dépouillement et de la sécheresse inhé-
rent au genre de la fable en la destinant à être « une
ample comédie à cent actes divers / et dont la scène est
l'univers ». Qu'il s'agisse de dépeindre la campagne, les

animaux, les créatures mythologiques ou humaines, le poète sait leur donner vie et charme en quelques mots. Le fabuliste se fait aussi moraliste, c'est-à-dire observateur attentif de ses contemporains et des mouvements qui les conduisent pour en tirer la « morale » constitutive d'une fable, et l'enjouement s'unit dans cette œuvre à une sereine acceptation de l'ordre du monde bien conforme à l'esprit pessimiste du temps.

Ainsi, au-delà de leur sévère fonction didactique l'intérêt des *Fables* réside dans la capacité de leur auteur à les constituer en œuvres littéraires, offrant le plaisir esthétique d'une écriture élégante, inventive et divertissante. À ce résultat contribue une féconde triple alliance fondée sur une variété formelle permanente : renouvellement des genres, qui donne aux *Fables* tour à tour les traits d'une courte pièce de théâtre, d'un conte, d'un traité philosophique, d'une épître ou encore d'une moralité ; renouvellement du vocabulaire, enrichissant la langue classique d'expressions désuètes, d'adages populaires, de mélange des parlures, d'emprunts pittoresques au lexique de diverses professions ; renouvellement du mètre, faisant alterner vers libres et traditionnels, longs et brefs : autant d'innovations qui témoignent de la volonté de transmettre une plaisante sagesse.

3.
Émergence et triomphe
de la nouvelle

1. *Perte d'idéal*

Les auteurs de nouvelles tireront peu à peu la leçon esthétique de cette pratique des formes brèves, accordée d'ailleurs à une évolution contemporaine. Si jusque vers 1660 les histoires longues et extraordinaires sont appréciées, leurs lecteurs ne se déclarent désormais qu'avec embarras, voire avec condescendance. Cette dévaluation du romanesque finit par laisser toute sa place à la nouvelle, construite selon un double principe de brièveté et de crédibilité. C'est que l'anéantissement du roman héroïque est la manifestation littéraire de l'effondrement des valeurs « héroïques », hâté par la rigide influence janséniste et augustinienne.

Asservie par Louis XIV, privée de ses repères et de ses convictions, évincée par la toujours plus influente bourgeoisie d'affaires, la noblesse française est confinée dans l'étouffante splendeur de Versailles. Cette dernière, voilant la rouerie politique derrière le cérémonial de la cour, est secondée par les préceptes religieux les plus désespérants. C'est ainsi que peut émerger la doctrine classique : les lecteurs recherchent dorénavant la modération, la concision, le vraisemblable et la simplicité, et délaissent les exagérations, l'ampleur narrative, le féerique et l'illusion.

2. *Vérité, simplicité, modernité*

En France, le genre de la nouvelle est connu grâce à *L'Heptaméron* de Marguerite de Navarre (1559), mais c'est la traduction des *Nouvelles exemplaires* de Cervantès (1613) qui intéresse le lectorat français, séduit par ces histoires brèves, condensées et plausibles éloignées de l'imaginaire débridé en vogue en ce début du XVIIe siècle. En France, Cervantès inspire Charles Sorel pour ses *Nouvelles françaises* (1623) : il s'agit de cinq récits sentimentaux, d'une longueur sans excès et plutôt rapidement menés. L'invention de Sorel tient surtout au caractère d'actualité qui caractérise personnages et situations, favorisant leur ancrage dans la mémoire immédiate des lecteurs et conférant au récit une apparence d'authenticité et d'autorité respectable.

3. *La nouvelle historique*

En 1656, le recueil de Segrais intitulé lui aussi *Nouvelles françaises* donne une dimension inédite au genre : l'insertion de l'Histoire. En plus de représenter le monde selon une exigence de naturel et de vérité, ces *Nouvelles* comptent trouver dans les sources historiques un gage d'authenticité. La nouvelle historique innove encore en offrant à ses lecteurs une atmosphère « galante », c'est-à-dire marquée par des péripéties amoureuses dans un cadre mondain. Les auteurs suivent désormais l'exemple de Segrais en cherchant à mêler des faits historiques à leur narration : il ne s'agit plus de l'Histoire éloignée dans un passé féerique ou légendaire mais bel et bien de l'Histoire moderne. C'est dans ce genre que s'inscrit, en 1662, *La Princesse de Montpensier,* dont le triomphe marque le début d'une ère florissante pour la nouvelle historique : dès lors ne cessent de paraître ces récits qui allient romanesque et Histoire.

La nouvelle vue par le XVIIe siècle

Scarron (*Le roman comique*, 1657)

« Les Espagnols avaient le secret de faire de petites histoires qu'ils appellent nouvelles qui sont bien plus à notre usage et plus selon la portée de l'humanité que des héros imaginaires de l'Antiquité, qui sont quelquefois incommodes à force d'être trop honnêtes gens… Si l'on faisait des nouvelles en français aussi bien faites que quelques-unes de celle de Michel de Cervantès, elles auraient cours autant que les romans héroïques. »

Segrais (*Les Nouvelles françaises*, 1656)

« Qu'au reste il me semble que c'est la différence qu'il y a entre le roman et la nouvelle, que le roman écrit les choses comme la bienséance le veut et à la manière du poète, mais que la nouvelle doit un peu davantage tenir de l'Histoire et s'attacher plutôt à donner des images des choses comme d'ordinaire nous les voyons arriver que comme notre imagination se les figure. »

Sorel (*La Bibliothèque française*, 1664)

« Beaucoup de gens se plaisent davantage au récit naturel des aventures modernes, comme on en met dans les histoires qu'on veut faire passer pour vraies non pas seulement pour vraisemblables. »

Sorel (*De la connaissance des bons livres*, 1672)

« Il faut que nous considérions encore que depuis quelques années les trop longs romans nous ayant ennuyés, afin de soulager l'impatience des personnes du siècle, on a composé plusieurs petites histoires détachées qu'on a appelées des "Nouvelles" ou des "Historiettes". Le dessein en est assez agréable, on n'y a pas tant de peine à comprendre et à retenir une longue suite d'aventures mêlées ensemble. »

**Pour aller plus loin
sur la nouvelle classique en France**

Pascal CHAMPAIN, *Le Roman français du XVIIᵉ siècle, un genre en question*, L'Harmattan, 2007.

Frédéric DELOFFRE, *La Nouvelle en France à l'âge classique*, Didier, 1968.

René GODENNE, *Histoire de la nouvelle française aux XVIIᵉ et XVIIIᵉ siècles*, Genève, Droz, 1970.

Maurice LEVER, *La Fiction narrative en prose au XVIIᵉ siècle : répertoire bibliographique du genre romanesque en France (1600-1700)*, C.N.R.S., 1976 ; *Le Roman français au XVIIᵉ siècle*, P.U.F., 1981.

Christian ZONZA, *La Nouvelle historique en France à l'âge classique (1657-1703)*, Honoré Champion, 2007.

L'écrivain
à sa table de travail

L'invention d'un genre

1.

Constitution d'une œuvre

1. *Romancière sans le vouloir*

La Princesse de Montpensier voit officiellement le jour le 20 août 1662 ; toutefois, certains indices laissent à penser qu'elle est imprimée et dévoilée au public quelque temps auparavant, sans le consentement de Mme de Lafayette. Cette nouvelle paraît anonymement, tout comme *Zaïde* (1670) puis *La Princesse de Clèves* (1678). Cette pratique de publication, courante au XVIIe siècle, l'est encore davantage dans le cas d'une femme puisque celle-ci n'est censée posséder qu'un savoir strictement délimité. En outre, ce statut alors complexe de femme-auteur s'accompagne de l'humilité nécessairement adoptée par quiconque se réclame de l'idéal éthique contemporain. Sa correspondance révèle ainsi une certaine ambiguïté dans la manière dont Mme de Lafayette considère ses écrits : l'avertissement du « libraire au lecteur » qui précède *La Princesse de Clèves* annonce, avec quelque réserve, que l'auteur « demeure donc dans l'obscurité où il est, pour laisser les jugements plus libres et plus équitables, et il se montrera néanmoins si cette histoire est aussi agréable au public que je l'espère » ; même chose dans une lettre adressée à Lescheraine, secrétaire de son amie la duchesse de Savoie, à propos de *La Princesse de Montpensier* : « Un petit livre qui a couru il y a quinze ans et où il plut au public de me donner part a fait qu'on m'en donne encore à *La Princesse de Clèves*. Mais je vous assure que je n'y en ai aucune » ; une autre lettre, adressée cette fois à son ami et ancien précepteur Gilles Ménage, exprime dans le même temps une distance et une certaine satisfaction à l'égard de *La Princesse de Montpensier* qu'elle nomme successivement « notre Princesse » et « mes œuvres », demandant à Ménage qu'il accorde à celles-ci « place dans votre bibliothèque ».

2. *Une écriture à plusieurs mains*

Dès la parution anonyme de *La Princesse de Montpensier*, bien des noms circulent quant à son ou ses auteurs et il en ira de même avec les œuvres suivantes de Mme de Lafayette : ses proches sont ainsi évoqués, tels Segrais, Ménage, Huet, ou encore La Rochefoucauld. C'est que la coutume littéraire du prête-nom et encore davantage celle de l'écriture collaborative sont largement répandues au XVIIe siècle. Les recherches de la critique récente ont permis de postuler que les versions manuscrites découvertes seraient bien celles de Mme de Lafayette, tandis que la version imprimée serait due en partie à l'intervention de Ménage dont l'auteur sollicite les conseils à plusieurs reprises. En définitive, même si le degré de participation de Mme de Lafayette aux textes qui lui sont aujourd'hui attribués demeure malaisé à évaluer, l'on est désormais certain qu'elle est l'auteur de ses textes, selon l'acception du terme « auteur » au XVIIe siècle.

Qu'il soit le fruit d'un ou plusieurs écrivains, il convient surtout de retenir que *La Princesse de Montpensier* reste le tout premier récit français à réunir les composantes de la nouvelle historique telles qu'elles sont fixées par *Les Nouvelles françaises* de Segrais : une trame narrative tissée sur des faits historiques récents et rigoureusement exacts, des aventures amoureuses plausibles, une analyse de caractères, une dimension fictive empruntée au roman et une écriture tout en retenue font de *La Princesse de Montpensier* une œuvre fondatrice suivie par son siècle et par la postérité littéraire qui l'élèvent au rang d'archétype : selon Charles Sorel, « le style fastueux des romans héroïques étant un peu radouci », il s'agit du « premier livre qui a été écrit d'un style digne d'approbation », tandis que le très exigeant Boileau considère Mme de Lafayette comme « la femme de France qui avait le plus d'esprit, et qui écrivait le mieux ». L'enthousiasme soulevé par cette nouvelle est si vif qu'elle est l'objet de cinq rééditions anonymes au XVIIe siècle.

3. *Les manuscrits*

Quatre copies manuscrites non autographes de *La Princesse de Montpensier* ont été recensées, les deux plus anciennes étant probablement les copies d'un manuscrit original. La première de ces deux copies, antérieure à 1672, est vraisemblablement la plus ancienne. Par ailleurs, l'achevé d'imprimer pour l'édition originale date précisément du 20 août 1662 ; on en a retrouvé sept exemplaires parus vers cette même année. On recense, en outre, sept autres versions imprimées, parues entre 1671 et 1684.

S'il n'existe que quelques variantes entre les deux premières copies manuscrites, on en relève un plus grand nombre entre celles-ci et la version imprimée : ceci conduit à penser que le manuscrit dont on a retrouvé les deux copies est probablement celui de Mme de Lafayette, sans arriver à déterminer avec certitude laquelle des deux copies manuscrites a donné lieu au texte imprimé. Les écarts les plus significatifs témoignent d'un travail attentif sur le style et par là même d'une connaissance approfondie de la chose littéraire : on pourrait donc en conclure que l'auteur de ces variantes est le grammairien Gilles Ménage. Les modifications apportées manifestent un constant souci de limpidité et de netteté, traduit par une simplification aussi bien du récit que de la construction des phrases : ainsi, des mots, phrases, ou paragraphes sont parfois adjoints pour aider à l'intelligibilité de l'action, d'autres au contraire sont ôtés ; des faits sans doute considérés par l'auteur du manuscrit comme évidents sont explicités et développés. Même chose pour la formulation : qu'il s'agisse d'alléger les phrases, de donner aisance et limpidité à la syntaxe, d'empêcher les ambiguïtés induisant les erreurs d'interprétation, de clarifier ou d'effacer les marques de préciosité, tout est fait pour faciliter la compréhension du lecteur.

2.

Littérature et histoire mêlées

1. *Le substrat historique*

L'arrière-plan historique de *La Princesse de Montpensier* est fondé sur l'époque du règne de Charles IX, aidant à donner des repères au lecteur contemporain pour qui cette histoire est relativement récente et familière ; les dates qui scandent ce même règne soulignent également les événements notables du récit. L'intrigue prend place entre le mariage de Mlle de Mézières avec le prince de Montpensier en 1566 et le jour de la Saint-Barthélemy, le 24 août 1572. Dans l'intervalle, des épisodes militaires ayant marqué l'Histoire française jalonnent cette intrigue, lui conférant la vraisemblance requise : les sièges (Paris en 1567, Poitiers puis Saint-Jean-d'Angély en 1569), les batailles (Saint-Denis en 1567, Jarnac et Moncontour en 1569) et bien sûr la Saint-Barthélemy. Il est aussi question des traités de paix, tels celui qui conclut la deuxième guerre de Religion en 1568 (paix de Longjumeau) ou celui qui clôt la troisième guerre en 1570 (paix de Saint-Germain). Les épousailles à la cour apportent, elles aussi, des précisions chronologiques : union de Mlle de Mézières et du prince de Montpensier, union de Charles IX et Élisabeth d'Autriche en 1570, union de Marguerite de Valois et d'Henri de Bourbon (qui n'est pas encore Henri IV) en 1572. Bien qu'aucune date ne soit spécifiée, la marche de l'Histoire est ainsi scrupuleusement suivie. Elle est aussi savamment entremêlée aux destins des personnages, dont les vicissitudes privées sont construites selon les phases de trêve et de poursuite des batailles. Ainsi, la préparation puis la célébration du mariage de l'héroïne ont lieu entre les deux premières guerres civiles ; c'est lors de la deuxième guerre civile que le comte de Chabannes rencontre puis devient amoureux de la princesse de Montpensier ; c'est peu après la signature du traité de Longjumeau que la princesse revoit le duc d'Anjou et surtout le duc de Guise ; la troisième guerre de Religion favorise l'éloignement du prince, tandis que la paix de Saint-Germain permet le voyage de la princesse à la cour et ses retrouvailles avec le duc de Guise. De même, les variations des amours de la princesse et de ce dernier se font au gré des mouvements de l'Histoire, propices (noces royales ou princières) ou funestes (la Saint-Barthélemy) ; et leur histoire prend fin peu de temps avant le massacre, dont le comte de Chabannes est par ailleurs l'une des victimes. Parallèlement, le rapprochement progressif entre son épouse et le duc de Guise éveille puis accroît la méfiance du prince de Montpensier, dont la colère et la rancœur bouleversent tant le comte de Chabannes qu'il s'enfuit au hasard et se trouve pris au piège de la Saint-Barthélemy, sa mort injuste n'inspirant au prince qu'une satisfaction vengeresse.

Mme de Lafayette puise la matière première de sa nouvelle dans trois sources documentaires : en premier lieu, elle étudie l'*Histoire des guerres civiles de France* de l'historien italien Enrico Davila (traduit en français en 1644) : elle y trouve le mariage du prince de Montpensier avec Mlle de Mézières ainsi que plusieurs anecdotes et détails concernant les figures centrales de la cour ; elle recourt également à l'*Histoire de France depuis Faramond* de l'historien François de Mézeray (1646), ainsi qu'à la biographie du duc de Montpensier (le père du prince) rédigée par son intendant, Nicolas Coustureau, en 1542.

Par ailleurs, afin d'ancrer son récit dans la plus grande vraisemblance possible, Mme de Lafayette le construit autour de noms et d'événements encore célèbres à son époque : les figures historiques qu'elle transforme en personnages sont issues d'illustres familles dont certains membres sont alors toujours vivants (Guise, Anjou, Montpensier). Tous ont existé — hormis le comte de Chabannes, doté cependant d'un nom répandu et familier aux contemporains —, de plus, leur réputation (militaire en particulier) et leur vie sont pour partie confirmées par les historiens (par exemple, les liaisons que le duc de Guise entretient d'abord avec Marguerite de Valois puis avec la marquise de Noirmoutier). Ceci tend à démontrer la prédilection de Mme de Lafayette pour l'histoire privée par rapport à l'Histoire officielle.

Concernant la princesse de Montpensier, le seul élément connu demeure, y compris au XVIIᵉ siècle, son lien de parenté avec la Grande Mademoiselle (Anne Marie Louise d'Orléans, fille de Gaston d'Orléans), dont elle est l'arrière-grand-mère. Quant au prince de Montpensier, il n'est guère reconnu par l'Histoire, mondaine ou militaire.

Les événements sont traités de la même manière que les personnages, c'est-à-dire au prisme d'un mélange de vérité et d'invention : le passage du duc d'Anjou à Champigny n'a pas lieu à l'époque précisément convoquée mais un peu plus tard ; inversement, Mme de Lafayette n'accorde aucune place particulière au mariage de Marguerite de Valois et d'Henri de Navarre, pourtant considéré comme l'un des principaux déclencheurs des guerres de Religion.

2. *Indices du présent*

Lorsque Mme de Lafayette entreprend l'écriture de sa nouvelle, la véritable princesse de Montpensier est alors si absente de la mémoire collective qu'elle se prête idéalement à la création d'une héroïne romanesque. Néanmoins, son histoire personnelle trouve un certain écho à l'époque de Mme de Lafayette, incitant les contemporains à rechercher des correspondances et à faire donc de la nouvelle, dans une certaine mesure, un récit « à clefs ». C'est Charles Sorel qui, le premier, se laisse aller à cette tentation (« On a cru y trouver une aventure de ce Siècle, sous les noms de quelques Personnes de l'ancienne Cour »), mais aucune double lecture de *La Princesse de Montpensier* ne se révèle véritablement convaincante. Cependant, il existe bel et bien un lien entre le propos du récit et le moment de sa parution, lien à chercher du côté de la descendante de l'héroïne, la Grande Mademoiselle. En 1657, cette dernière revient de l'exil sur ses terres de Bourgogne auquel Louis XIV l'a condamnée cinq ans plus tôt en raison de sa participation à la Fronde ; en outre, l'un des cadres donnés à la nouvelle est le château de Champigny, que Richelieu contraint le père de la Grande Mademoiselle à lui céder en 1632 avant d'ordonner sa destruction presque totale. À son retour, une décision de justice permet à la Grande Mademoiselle de récupérer Champigny et d'obtenir un dédommagement financier conséquent. Elle commence alors à organiser la restauration du château. Sa description très détaillée dans la nouvelle (la cour de l'entrée ou bien le pont-levis donnant sur le parc, par exemple) prouve que Mme de Lafayette a eu accès à des plans du château lors de ses recherches documentaires. De surcroît, cette exactitude ainsi que le fait que le château de Champigny est l'un des « décors » du récit donnent une signification véritablement politique : Mme de Lafayette fait ainsi savoir qu'elle apporte son soutien à la Grande Mademoiselle dans sa lutte contre une décision prise par Richelieu, ministre du roi, et, au-delà, contre le roi lui-même.

3. *Travestissements de l'Histoire*

Le double statut générique de la nouvelle, entre fiction et témoignage historique, est rappelé au lecteur dès les premières pages : le titre focalise l'attention sur un personnage historique tandis que « l'avertissement du libraire au lecteur » informe, non sans une certaine ambivalence, que *La Princesse de Montpensier* est une pure fiction ; la nouvelle s'émancipe donc d'emblée du roman et signale son appartenance au genre inédit, défini par Segrais. Prendre comme héroïne une figure connue et prestigieuse suffit à attester de cette rupture introduite par Mme de Lafayette avec le roman, dont l'un des traits distinctifs est justement son caractère fictif, d'autant que la documentation historique qui préside à l'écriture de la nouvelle lui apporte une incontestable fiabilité. Cependant, cette perspective historique vise surtout à accroître la force persuasive du véritable dessein poursuivi : faire le procès de la passion et montrer les maux qu'elle inflige à des héros par ailleurs en tout point romanesques. Pour cela, la narration prend certaines libertés avec les faits, comme la rencontre entre de Guise, d'Anjou et la princesse de Montpensier à Champigny : rencontre fort incertaine puisque

Champigny est à la même période investi par les troupes protestantes alors que le prince et la princesse en sont absents. Ce passage est typique de la manière dont Mme de Lafayette — tout comme les auteurs de nouvelles au XVIIᵉ siècle — se sert de l'Histoire en général ou plus particulièrement de ses omissions et s'en approprie certains pans obscurs pour en faire le canevas de sa propre histoire. Il en va de même avec les personnages peu ou pas connus, tel le couple Montpensier : l'oubli à peu près total dans lequel la princesse comme le prince sont rejetés permet leur recréation par l'auteur qui peut à son gré entrecroiser données historiques et imaginaire.

L'utilisation de l'Histoire par Mme de Lafayette au profit de la fiction réside encore dans l'adaptation de la première à la seconde, la vérité historique apparaissant biaisée à certains égards. En effet, l'impression est parfois donnée au lecteur que certains événements historiques sont commandés par les motivations des personnages ou liés par une nécessité interne aux événements de l'intrigue. Par exemple, l'union entre la princesse de Portien et le duc de Guise est, dans la réalité des faits, arrangée rapidement pour faire oublier que le duc avait eu peu avant l'intention d'épouser Marguerite de Valois, sœur du roi, s'attirant ainsi les foudres de ce dernier. Dans la nouvelle, cette union précipitée avec la princesse de Portien devient la preuve même de l'attachement du duc à la princesse de Montpensier, attachement si intense qu'il le pousse à refuser un mariage qui l'aurait fait beau-frère du roi. Autre exemple : Mme de Lafayette présente l'assassinat, ultérieur à la nouvelle, du duc de Guise par le duc d'Anjou (devenu alors Henri III) comme la conséquence d'une rivalité amoureuse dont l'enjeu aurait été la princesse de Montpensier : en réalité, la raison de cet assassinat est purement politique. Mais c'est le traitement de la Saint-Barthélemy qui est le plus significatif de la fusion entre fiction et Histoire dans la mesure où un parallèle semble s'esquisser entre l'issue macabre de cette journée et l'issue pathétique de l'intrigue, augmentant l'efficacité démonstrative de cette dernière dans son réquisitoire contre la passion.

Certes — et c'est ce qui fonde pour partie le succès et le charme de la nouvelle —, le romanesque n'est pas absent. Songeons aux descriptions des réjouissances fastueuses organisées lors de réceptions ou de mariages ; songeons encore à certains passages, tel le voyage effectué par le duc de Guise pour rejoindre la princesse de Montpensier : le romanesque se déploie largement dans l'évocation du périple de ce personnage amoureux qui néglige les conventions imposées par son rang. Cependant, le récit, selon la formule prescrite à la nouvelle classique, refuse toute surabondance du romanesque et emprunte davantage à l'objectivité historiographique qu'au roman traditionnel : la présence de la narratrice se manifeste avec une extrême discrétion, les interventions d'auteur demeurent peu fréquentes, l'individualité des personnages et l'objectivité des faits sont présentées de manière similaire, le discours direct est peu employé, le passé simple est le temps du récit mais aussi de l'observation des intériorités, le régime énonciatif est celui de la suggestion plutôt que de l'affirmation. Le style s'accorde ainsi à l'atmosphère grave et tourmentée. L'amour, qui fournit la matière essentielle, est considéré de manière réaliste, il ne poétise ni n'ennoblit les êtres mais, au contraire, les assujettit telles des proies offertes à sa puissance de destruction absolument invincible.

Groupement de textes

La femme et l'amour

LA TOUTE DERNIÈRE PHRASE DE *LA PRINCESSE DE MONTPENSIER* est certes une mise en garde contre la passion, mais elle permet aussi au lecteur attentif de remarquer que parmi les quatre figures principales de la nouvelle — une figure féminine entourée de trois hommes —, seule l'héroïne connaît un destin tragique causé par la passion qu'elle ressent et inspire. Si *La Princesse de Montpensier*, tout comme les trois autres nouvelles écrites par Mme de Lafayette, présente une conception profondément pessimiste de la passion amoureuse, il faut garder à l'esprit que chacun de ces récits livre aussi une réflexion sur la disproportion qui régit la vie privée au XVIIᵉ siècle, incitant les mentalités à tolérer ou à réprimer des conduites identiques selon qu'elles émanent d'un homme ou d'une femme. Mme de Lafayette écrit ainsi autant sur l'amour que sur la femme, sa place, sa fonction et son sort dans la société.

Vers 1662, la préciosité littéraire est assurément la manifestation d'une plus grande affirmation de la femme, mais elle est de nature aristocrate et mondaine : la femme de ce temps, quel que soit son milieu, subit au quotidien une surveillance de tous les instants qui peut la conduire — les héroïnes de

Mme de Lafayette en sont l'illustration — à exercer un contrôle constant sur elle-même. Elle est également à peu près dénuée de tout droit. Selon cette logique, les Précieuses tiennent salon mais, dans leur majorité, ne peuvent accéder à des activités intellectuelles réelles.

Les fictions de Mme de Lafayette, comme la littérature classique dans son ensemble, perpétuent un usage qui, pour des raisons tout à la fois sociales, morales et politiques, oriente la littérature française depuis le Moyen Âge : égérie ou, plus rarement, productrice de créations littéraires, la femme du XVIIe siècle reste principalement associée à l'écriture de l'amour. La sphère de l'intériorité, de l'intimité paraît l'un des rares domaines où elle est laissée libre d'exercer une influence ou une compétence.

Les siècles suivants marquent une lente évolution, mais ce n'est vraiment qu'au lendemain de la Première Guerre mondiale que la littérature commence à dissocier plus véritablement la femme des seules préoccupations sentimentales. Toutefois, les grandes œuvres de la littérature amoureuse sont aussi, comme c'est le cas avec celles de Mme de Lafayette, le lieu d'une pensée marquante et fondatrice : parce qu'elle réfléchit sur les rapports humains et les lois ou les codes qui les gouvernent, loin de toute mièvrerie, gratuité ou superficialité, cette littérature amoureuse peut, en effet, contribuer à révéler l'état d'une société donnée.

Les six extraits suivants, esquissant un panorama de la littérature française depuis le Moyen Âge jusqu'au XXe siècle, sont autant d'exemples de cette expression du social que peut être aussi la littérature amoureuse. Poème, pièce de théâtre ou roman, écrit tour à tour par un homme ou par une femme, chacun s'articule autour d'une figure féminine placée dans diverses configurations amoureuses et chacun invite à déceler, au-delà de la fiction, un portrait et parfois une analyse de la société dans laquelle s'inscrit cette variation du discours amoureux.

Charles d'ORLÉANS (1394-1465)

Ballades (1410-1465)

(*En la forêt de longue attente,* Poésie / Gallimard)

Charles d'Orléans est l'un de ces aristocrates médiévaux cultivés, férus de poésie et poètes eux-mêmes. Emprisonné en Angleterre durant vingt-cinq ans après la bataille d'Azincourt, c'est dans ces circonstances qu'il découvre et développe sa veine poétique. Son œuvre se rattache au genre de la poésie lyrique, apparu au cours du XIIe siècle : d'essence courtoise et aristocratique, cette poésie est essentiellement dédiée à une célébration raffinée de l'amour. Selon la tradition littéraire courtoise dans laquelle s'inscrivent aussi les romans, la poésie traite de questions sentimentales, tradition que reprendront les salons précieux du XVIIe siècle. Surtout, les relations amoureuses entre hommes et femmes se conforment à des usages précis : le chevalier doit un « service d'amour » à la femme aimée, laquelle devient véritablement sa « dame », c'est-à-dire sa maîtresse au sens premier du terme (« dame » vient du latin domina *qui signifie « souveraine »). Cette vassalité masculine est bien sûr purement fictive.*

Cette trente-neuvième ballade est tout à fait représentative de la poésie courtoise ; l'amant soupire et la maîtresse est souveraine…

BALLADE 39

Si je pouvais donner l'essor[1]
À mes souhaits et mes soupirs

---

1. Lâcher dans les airs, en parlant d'un oiseau ; par extension, libérer.

Dès que mon cœur les a formés,
Je leur ferais passer la mer
Et s'en aller tout droit vers elle
Que j'aime d'un cœur très intense
Comme mon bonheur en ce monde,
Que je tiendrai jusqu'à la mort
Pour[1] ma maîtresse souveraine.

Hélas ! la verrai-je jamais ?
Qu'en dites-vous, Pensée très tendre ?
Espoir m'a promis que oui, mais
Il me fait trop longtemps attendre
Et, quand je viens lui demander
Du secours au besoin, il dort.
Ainsi je suis chaque semaine
En maint tracas, sans réconfort
Pour ma maîtresse souveraine.

Je ne peux pas rester en paix :
Fortune ne m'y laisse pas.
Enfin, je me tais à présent
Et veux laisser passer le temps,
Pensant obtenir après tout
De Loyauté, où j'ai trouvé
Recours, le cadeau d'Agrément[2]
Pour prix des maux subis à tort
Pour ma maîtresse souveraine.

---

1. « Tiendrai… pour » signifie : « Considérerai comme ».
2. Consentement.

Louise LABÉ (1524-1566)

« Ô beaux yeux bruns »

Sonnets (1555)

(*Œuvres poétiques*, Poésie / Gallimard)

Louise Labé, dont le talent et la renommée apparaissent d'autant plus surprenants qu'elle vient d'un milieu modeste, est de ces femmes cultivées qui travaillent à leur émancipation par la culture et l'intelligence : rejetant les schémas conformistes qui relèguent la femme à la futilité, la poétesse vise par l'écriture à se doter d'une identité humaine plénière et autonome et par là même à contribuer à part égale avec l'homme au mouvement du monde. Parfaitement instruite des traditions poétiques de l'Antiquité (platonisme) ou de l'Italie contemporaine (pétrarquisme), elle montre toute son habileté créatrice dans sa manière tantôt de les imiter tantôt de les subvertir pour façonner sa propre poésie.

L'originalité de l'œuvre de Louise Labé tient moins au fait qu'elle est composée par une femme qu'à son contenu même, qui révèle par de multiples aspects une réflexion féministe avant la lettre. Si elle privilégie, elle aussi, dans ses Sonnets *la thématique amoureuse, à rebours des poétesses qui l'ont précédée, le traitement poétique de l'amour ne se fait pas chez Louise Labé sur un mode sentimental, rêveur ou épuré : bravant parfois les convenances sociales, sa poésie libère une parole féminine qui met au centre la notion de plaisir et qui ne craint pas d'affirmer la jouissance sensuelle, mais aussi la satisfaction d'écrire, et plus largement le plaisir de revendiquer son être au monde.*

Il en va ainsi dans le sonnet suivant, qui traduit le trouble du désir et des sens par un style volontiers opaque.

II

Ô beaux yeux bruns, ô regards détournés,
Ô chauds soupirs, ô larmes épandues,

Ô noires nuits vainement attendues,
Ô jours luisants vainement retournés[1] !

Ô tristes plaints[2], ô désirs obstinés,
Ô temps perdu, ô peines dépendues[3],
Ô mille morts en mille rets[4] tendues,
Ô pires maux contre moi destinés !

Ô ris[5], ô front, cheveux, bras, mains et doigts !
Ô luth plaintif, viole, archet et voix !
Tant de flambeaux pour ardre[6] une femelle !

De toi me plains, que tant de feux portant,
En tant d'endroits d'iceux[7] mon cœur tâtant[8],
N'en est sur toi volé quelque étincelle.

MOLIÈRE (1622-1673)
L'École des femmes (1662)

(Folioplus classiques)

Dans le répertoire de Molière, cette pièce est la première des comédies dites « de caractère » : ce genre de comédie met en scène des personnages habités par une obsession ou une hantise et adopte le registre de la farce constamment travaillé par une analyse fouillée. Le public y retrouve ses propres réactions ou celles d'autrui tout en riant des situations comiques engendrées. C'est ainsi que Molière entend utiliser le rire afin de « corriger les vices des hommes ». Cette pièce

---

1. Revenus.
2. Plaintes.
3. Dépensées, employées.
4. Filets.
5. Sourire.
6. Brûler, faire brûler (ici : de désir).
7. Ceux-ci (renvoie à « feux »).
8. Frappant.

lui apporte un énorme succès et l'entraîne dans une tumul-
tueuse polémique.

   Arnolphe, barbon, est sur le point d'épouser la toute
jeune Agnès ; pour se prémunir contre un éventuel adul-
tère — infortune dont sont victimes nombre de ses amis
mariés —, il l'a adoptée lorsqu'elle avait quatre ans et l'a
fait élever au sein d'un couvent dans l'inexpérience et la
naïveté absolues. Dès le début de la pièce, Agnès, à présent
âgée de dix-sept ans et fraîchement sortie de son couvent,
est gardée par deux domestiques dans une maison à l'écart
du monde. Dans cette scène, Arnolphe vient rendre visite à
la jeune fille car il a découvert l'existence d'un commerce
amoureux entre Agnès et un jeune inconnu et veut appren-
dre la vérité.

AGNÈS

Qu'avez-vous ? Vous grondez, ce me semble, un
petit[1] ?
Est-ce que c'est mal fait ce que je vous ai dit ?

ARNOLPHE

Non. Mais de cette vue[2] apprenez-moi les suites,
Et comme le jeune homme a passé ses visites.

AGNÈS

Hélas ! si vous saviez comme il était ravi,
Comme il perdit son mal sitôt que je le vis,
Le présent qu'il m'a fait d'une belle cassette,
Et l'argent qu'en ont eu notre Alain et Georgette[3],
Vous l'aimeriez sans doute et diriez comme nous.

ARNOLPHE

Oui. Mais que faisait-il étant seul avec vous ?

---

1. Un peu.
2. Entrevue.
3. Ce sont les domestiques d'Arnolphe.

AGNÈS

Il jurait qu'il m'aimait d'une amour sans seconde,
Et me disait des mots les plus gentils du monde,
Des choses que jamais rien ne peut égaler,
Et dont, toutes les fois que je l'entends parler,
La douceur me chatouille et là-dedans remue
Certain je ne sais quoi dont je suis tout émue.

ARNOLPHE, *à part.*

Ô fâcheux examen d'un mystère fatal,
Où l'examinateur souffre seul tout le mal !

À Agnès.

Outre tous ces discours, toutes ces gentillesses,
Ne vous faisait-il point aussi quelques caresses ?

AGNÈS

Oh tant ! Il me prenait et les mains et les bras,
Et de me les baiser il n'était jamais las.

ARNOLPHE

Ne vous a-t-il point pris, Agnès, quelque autre chose ?

La voyant interdite.

Ouf !

AGNÈS

Hé il m'a…

ARNOLPHE

Quoi ?

AGNÈS

Pris…

ARNOLPHE

Euh !

AGNÈS

Le…

ARNOLPHE

Plaît-il ?

AGNÈS

Je n'ose,
Et vous vous fâcherez peut-être contre moi.

ARNOLPHE

Non.

AGNÈS

Si fait.

ARNOLPHE

Mon Dieu, non !

AGNÈS

Jurez donc votre foi.

ARNOLPHE

Ma foi, soit.

AGNÈS

Il m'a pris… Vous serez en colère.

ARNOLPHE

Non.

AGNÈS

Si.

ARNOLPHE

Non, non, non, non. Diantre, que de mystère !
Qu'est-ce qu'il vous a pris ?

AGNÈS

Il...

ARNOLPHE, *à part.*

Je souffre en damné.

AGNÈS

Il m'a pris le ruban que vous m'aviez donné.
À vous dire le vrai, je n'ai pu m'en défendre.

ARNOLPHE, *reprenant haleine.*

Passe pour le ruban. Mais je voulais apprendre
S'il ne vous a rien fait que vous baiser les bras.

AGNÈS

Comment ? est-ce qu'on fait d'autres choses ?

ARNOLPHE

Non pas.
Mais pour guérir du mal qu'il dit qui le possède,
N'a-t-il point exigé de vous d'autre remède ?

AGNÈS

Non. Vous pouvez juger, s'il en eût demandé,
Que pour le secourir j'aurais tout accordé.

Abbé PRÉVOST (1697-1763)

Manon Lescaut (1731)

(Folioplus classiques)

Des Grieux et Manon sont deux adolescents de dix-sept ans unis par une passion qui les détruira, destruction commandée par le contexte social et moral de la Régence et son incitation perpétuelle au plaisir et au luxe. C'est Manon qui se montre la plus faible devant les inépuisables tentations de

la vie parisienne, dévoilant l'oscillation de sa personnalité
entre sentimentalité et vénalité face à laquelle le candide Des
Grieux demeure désemparé : la femme, ici instrument de la
fatalité, mène l'homme à sa perte.

Après que Manon l'a trompé par intérêt, Des Grieux se
réfugie au séminaire de Saint-Sulpice ; elle finit par l'y retrou-
ver et obtenir son pardon. Le couple reprend alors sa quête
effrénée de jouissances, payée par l'argent que la jeune fille a
soutiré à son riche amant, mais cet argent leur est dérobé par
leurs domestiques. Sur le conseil de son frère, Manon se met
donc à la recherche d'une nouvelle proie et laisse à Des Grieux
une lettre où s'exprime pleinement sa nature.

Enfin, n'étant plus le maître de mon inquiétude, je
me promenai à grands pas dans nos appartements.
J'aperçus, dans celui de Manon, une lettre cachetée
qui était sur sa table. L'adresse était à moi, et l'écriture de sa main. Je l'ouvris avec un frisson mortel ;
elle était dans ces termes :

Je te jure, mon cher Chevalier, que tu es l'idole de
mon cœur, et qu'il n'y a que toi au monde que je
puisse aimer de la façon dont je t'aime ; mais ne vois-
tu pas, ma pauvre chère âme, que, dans l'état où nous
sommes réduits, c'est une sotte vertu que la fidélité ?
Crois-tu qu'on puisse être bien tendre lorsqu'on manque de pain ? La faim me causerait quelque méprise[1]
fatale ; je rendrais quelque jour le dernier soupir, en
croyant en pousser un d'amour. Je t'adore, compte là-
dessus ; mais laisse-moi, pour quelque temps, le ména-
gement[2] de notre fortune. Malheur à qui va tomber
dans mes filets ! Je travaille pour rendre mon Chevalier riche et heureux. Mon frère t'apprendra des nouvelles de ta Manon, et qu'elle a pleuré de la nécessité
de te quitter.

Je demeurai, après cette lecture, dans un état qui
me serait difficile à décrire car j'ignore encore

1. Erreur.
2. Préparation.

aujourd'hui par quelle espèce de sentiments je fus alors agité. Ce fut une de ces situations uniques auxquelles on n'a rien éprouvé qui soit semblable. On ne saurait les expliquer aux autres, parce qu'ils n'en ont pas l'idée ; et l'on a peine à se les bien démêler à soi-même, parce qu'étant seules de leur espèce, cela ne se lie à rien dans la mémoire, et ne peut même être rapproché d'aucun sentiment connu. Cependant, de quelque nature que fussent les miens, il est certain qu'il devait y entrer de la douleur, du dépit, de la jalousie et de la honte. Heureux s'il n'y fût pas entré encore plus d'amour ! Elle m'aime, je le veux croire ; mais ne faudrait-il pas, m'écriai-je, qu'elle fût un monstre pour me haïr ? Quels droits eut-on jamais sur un cœur que je n'aie pas sur le sien ? Que me reste-t-il à faire pour elle, après tout ce que je lui ai sacrifié ? Cependant elle m'abandonne ! et l'ingrate se croit à couvert[1] de mes reproches en me disant qu'elle ne cesse pas de m'aimer ! Elle appréhende[2] la faim. Dieu d'amour ! quelle grossièreté de sentiments ! et que c'est répondre mal à ma délicatesse ! Je ne l'ai pas appréhendée, moi qui m'y expose si volontiers pour elle en renonçant à ma fortune et aux douceurs de la maison de mon père ; moi qui me suis retranché[3] jusqu'au nécessaire pour satisfaire ses petites humeurs et ses caprices. Elle m'adore, dit-elle. Si tu m'adorais, ingrate, je sais bien de qui tu aurais pris des conseils ; tu ne m'aurais pas quitté, du moins, sans me dire adieu. C'est à moi qu'il faut demander quelles peines cruelles on sent à se séparer de ce qu'on adore. Il faudrait avoir perdu l'esprit pour s'y exposer volontairement.

---

1. À l'abri.
2. Craint.
3. Privé.

George SAND (1804-1876)

Consuelo (1842)

(Folio classique)

La notoriété que George Sand a acquise au cours du temps procède pour partie de l'anticonformisme qu'elle s'est attachée à cultiver dans sa vie privée comme dans sa carrière de femme de lettres. Elle fait scandale très jeune en quittant son époux puis en entretenant plusieurs liaisons masculines comme féminines, menant sa vie comme elle l'entend au mépris de toute convention. En tant qu'auteur, après toute une série de romans sentimentaux qui défendent l'amour contre les carcans sociaux et moraux, elle se rallie vers 1840, contre son propre milieu, aux idéologies utopistes et socialistes, prenant fait et cause pour le peuple et exposant ses convictions dans ses écrits. Ses idées progressistes soutiennent également la condition féminine, entre autres dans Consuelo : *à la suite d'une déception amoureuse, l'héroïne, jeune cantatrice italienne à la voix prometteuse, trouve refuge en Bohème où elle rencontre Albert de Rudolstadt. Cet homme énigmatique s'éprend d'elle et l'attire en retour, mais, consciente de la différence de leurs milieux sociaux, la jeune fille préfère s'éloigner. Après avoir parcouru l'Europe et connu maintes aventures extraordinaires, Consuelo retrouvera Albert. Dans l'extrait suivant, la mère de Consuelo la met en garde contre le mariage de raison imposé aux femmes.*

Réponds-moi, Consuelo ; je suis un vieillard au bord de la tombe, et toi un enfant. Je suis ici comme ton père, comme ton confesseur. Je ne puis alarmer ta pudeur par cette question délicate, et j'espère que tu y répondras avec courage. Dans l'amitié enthousiaste qu'Albert t'inspirait, n'y a-t-il pas toujours eu une secrète et insurmontable terreur à l'idée de ses caresses ?

— C'est la vérité, répondit Consuelo en rougissant. Cette idée n'était pas mêlée ordinairement à celle de son amour, elle y semblait étrangère ; mais quand elle se présentait, le froid de la mort passait dans mes veines.

— Et le souffle de l'homme que tu connais sous le nom de Liverani t'a donné le feu de la vie ?

— C'est encore la vérité. Mais de tels instincts ne doivent-ils pas être étouffés par notre volonté ?

— De quel droit ? Dieu te les a-t-il suggérés pour rien ? t'a-t-il autorisée à abjurer[1] ton sexe, à prononcer dans le mariage le vœu de virginité, ou celui plus affreux et plus dégradant encore du servage ? La passivité de l'esclavage a quelque chose qui ressemble à la froideur et à l'abrutissement[2] de la prostitution. Est-il dans les desseins de Dieu qu'un être tel que toi soit dégradé à ce point ? Malheur aux enfants qui naissent de telles unions ! Dieu leur inflige quelque disgrâce, une organisation[3] incomplète, délirante ou stupide. Ils portent le sceau de la désobéissance. Ils n'appartiennent pas entièrement à l'humanité, car ils n'ont pas été conçus selon la loi de l'humanité qui veut une réciprocité d'ardeur, une communauté d'aspirations entre l'homme et la femme. Là où cette réciprocité n'existe pas, il n'y a pas d'égalité ; et là où l'égalité est brisée, il n'y a pas d'union réelle. Sois donc certaine que Dieu, loin de commander de pareils sacrifices à ton sexe, les repousse et lui dénie le droit de les faire. Ce suicide-là est aussi coupable et plus lâche encore que le renoncement à la vie. Le vœu de virginité est anti-humain et anti-social ; mais l'abnégation[4] sans

---

1. Renoncer à.
2. Action d'abrutir une personne — c'est-à-dire de la rendre semblable à une bête brute, l'animal à l'état le plus éloigné de l'homme — en affaiblissant ses facultés intellectuelles et morales.
3. Désigne à la fois la constitution physique d'un être humain et son caractère.
4. Ici, vertu.

l'amour est quelque chose de monstrueux dans ce sens-là. Penses-y bien, Consuelo, et si tu persistes à t'annihiler à ce point, réfléchis au rôle que tu réserverais à ton époux, s'il acceptait ta soumission sans la comprendre. À moins d'être trompé, il ne l'accepterait jamais, je n'ai pas besoin de te le dire ; mais abusé par ton dévouement, enivré par ta générosité, ne te semblerait-il pas bientôt étrangement égoïste ou grossier dans sa méprise ? Ne le dégraderais-tu pas à tes propres yeux, ne le dégraderais-tu pas en réalité devant Dieu, en tendant ce piège à sa candeur, et en lui fournissant cette occasion presque irrésistible d'y succomber ? Où serait sa grandeur, où serait sa délicatesse, s'il n'apercevait pas la pâleur sur tes lèvres, et les larmes dans tes yeux ? Peux-tu te flatter que la haine n'entrerait pas malgré toi dans ton cœur, avec la honte et la douleur de n'avoir pas été comprise ou devinée ? Non, femme ! vous n'avez pas le droit de tromper l'amour dans votre sein ; vous auriez plutôt celui de le supprimer. Quoi que de cyniques philosophes aient pu dire sur la condition passive de l'espèce féminine dans l'ordre de la nature, ce qui distinguera toujours la compagne de l'homme de celle de la brute, ce sera le discernement[1] dans l'amour et le droit de choisir. La vanité et la cupidité font de la plupart des mariages une *prostitution jurée*, selon l'expression des antiques Lollards[2]. Le dévouement et la générosité peuvent conduire une âme simple à de pareils résultats. Vierge, j'ai dû t'instruire de ces choses délicates, que la pureté de ta vie et de tes pensées t'empêchait de prévoir ou d'analyser. Lorsqu'une mère marie sa fille, elle lui révèle à demi, avec plus ou moins de sagesse et de pudeur, les mystères qu'elle lui a cachés jusqu'à cette heure. Une mère t'a manqué, lorsque tu as prononcé, avec un enthousiasme plus fanatique qu'humain, le serment

---

1. Capacité de juger les choses à leur juste valeur, en particulier ce qui est bien ou mal.
2. Hérétiques anglais des XIVe et XVe siècles.

d'appartenir à un homme que tu aimais d'une manière incomplète. Une mère t'est donnée aujourd'hui pour t'assister et t'éclairer dans tes nouvelles résolutions à l'heure du divorce ou de la sanction définitive de cet étrange hyménée[1]. Cette mère, c'est moi, Consuelo, moi qui ne suis pas un homme, mais une femme.

Colette (1873-1954)

Chéri (1920)

(Éditions Fayard, repris dans
« Le Livre de poche »)

La vie et la carrière de Colette présentent une relative proximité avec celles de Sand. Divorcée deux fois en un temps où cet acte est encore jugé inconvenant, choquant l'opinion en aimant des femmes aussi bien que des hommes ou encore en apparaissant très peu vêtue dans des numéros de music-hall, Colette fait aussi scandale dès ses premiers romans, vibrants éloges de l'indépendance souvent marqués, en outre, par la sensualité au sens plein du terme : plaisir érotique mais aussi plaisir de voir, d'entendre, de toucher, de respirer, de goûter les beautés du monde et en particulier celles de la nature, très présente dans une grande partie de ses textes. Colette écrit encore l'amour et le bonheur qu'il donne mais s'attarde sur les blessures qu'il inflige, surtout à travers ses personnages féminins.

Ainsi, Chéri *est le récit de la liaison entre le jeune Frédéric, surnommé Chéri par les nombreuses femmes qui l'entourent depuis son enfance, et Léa qui lui est tout à la fois une figure de mère et d'amante. Âgée de vingt-quatre ans de plus que lui, elle sait que le temps et ses ravages sur les femmes vont inexorablement pousser Chéri à s'éloigner d'elle, d'autant qu'il est à présent fiancé à une jeune fille pour des raisons financières. Voulant s'épargner l'humiliation et la souffrance*

———————————

1. Mariage.

d'un abandon, Léa décide de mettre un terme elle-même à
cette liaison : le passage suivant, à la toute fin du roman,
est une scène d'adieu.

Je suis responsable de tout ce qui te manque... Oui,
oui, ma beauté, te voilà, grâce à moi, à vingt-cinq ans,
si léger, si gâté et si sombre à la fois... J'en ai beaucoup de souci. Tu vas souffrir, – tu vas faire souffrir.
Toi qui m'as aimée...

La main qui déchirait lentement son peignoir se
crispa et Léa sentit sur son sein les griffes du nourris-
son méchant.

— ... Toi qui m'as aimée, reprit-elle après une pause,
pourras-tu... Je ne sais comment me faire comprendre...

Il s'écarta d'elle pour l'écouter : et elle faillit lui crier :
« Remets cette main sur ma poitrine et tes ongles dans
leur marque, ma force me quitte dès que ta chair
s'éloigne de moi ! » Elle s'appuya à son tour sur lui
qui s'était agenouillé devant elle, et continua :

— Toi qui m'as aimée, toi qui me regretteras...

Elle lui sourit et le regarda dans les yeux.

— Hein, quelle vanité !... Toi qui me regretteras, je
voudrais que, quand tu te sentiras près d'épouvanter
la biche qui est ton bien, qui est ta charge, tu te
retiennes, et que tu inventes à ces instants-là tout ce
que je ne t'ai pas appris... Je ne t'ai jamais parlé de
l'avenir. Pardonne-moi, Chéri : je t'ai aimé comme si
nous devions, l'un et l'autre, mourir l'heure d'après.
Parce que je suis née vingt-quatre ans avant toi, j'étais
condamnée, et je t'entraînais avec moi...

Il l'écoutait avec une attention qui lui donnait l'air
dur. Elle passa sa main sur le front inquiet, pour en
effacer le pli.

— Tu nous vois, Chéri, allant déjeuner ensemble à
Armenonville ?... Tu nous vois invitant Mme et
M. Lili ?...

Elle rit tristement et frissonna.

— Ah ! Je suis aussi finie que cette vieille... Vite, vite, petit, va chercher ta jeunesse, elle n'est qu'écornée par les dames mûres, il t'en reste, il lui en reste à cette enfant qui t'attend. Tu y as goûté, à la jeunesse ! Tu sais qu'elle ne contente pas, mais qu'on y retourne... Eh ! ce n'est pas de cette nuit que tu as commencé à comparer... Et qu'est-ce que je fais là, moi, à donner des conseils et à montrer ma grandeur d'âme. Qu'est-ce que je sais de vous deux ? Elle t'aime : c'est son tour de trembler, elle souffrira comme une amoureuse et non pas comme une maman dévoyée[1]. Tu lui parleras en maître, mais pas en gigolo capricieux... Va, va vite...

Elle parlait sur un ton de supplication précipitée. Il l'écoutait debout, campé devant elle, la poitrine nue, les cheveux en tempête, si tentant qu'elle noua l'une à l'autre ses mains qui allaient le saisir. Il la devina peut-être et ne se déroba pas. Un espoir, imbécile comme celui qui peut atteindre, pendant leur chute, les gens qui tombent d'une tour, brilla entre eux et s'évanouit.

---

1. Qualifie une personne qui s'est égarée, trompée de voie ; par extension comme ici, au sens moral, qualifie une personne qui s'est écartée du droit chemin.

Chronologie

Mme de Lafayette
et son temps

1.

L'éclosion de Marie-Madeleine

Marie-Madeleine Pioche de La Vergne naît en 1634 à Paris, d'une famille de très petite noblesse ; elle a deux demi-sœurs nées d'un précédent mariage de son père et qui entrent toutes les deux dans les ordres pour ne pas nuire à l'établissement de leur cadette. Son parrain est le marquis de Brézé, beau-frère de Richelieu, et sa marraine, la duchesse d'Aiguillon, est l'une des nièces de Richelieu. De célèbres personnalités intellectuelles du temps, tels Chapelain, Mlle de Scudéry, l'abbé d'Aubignac comptent parmi les fréquentations de ses parents. Son père, homme cultivé, entreprend de l'instruire lui-même. Vers 1648, la famille s'installe au Havre au plus fort de la Fronde, autre forme d'apprentissage du monde pour la jeune Marie-Madeleine. C'est alors que son père meurt, vers 1649.

En 1650, Mme de La Vergne se remarie avec Renaud de Sévigné, et c'est à cette époque que naît l'amitié forte qui unira Mme de Sévigné et Marie-Madeleine leur vie durant. Les deux jeunes filles sont élèves du grammairien Gilles Ménage qui leur dispense des cours de latin, d'italien et d'hébreu : on rapporte que « trois mois après que Mme de Lafayette eut commencé d'apprendre le latin elle en savait déjà plus que Monsieur Ménage […] ». Son éducation soignée est alors chose fort rare pour une femme du monde mais sa personnalité sérieuse et réfléchie la préserve de toute pédanterie. Elle estime d'ailleurs qu'elle ne connaît pas « de gens plus malhonnêtes que les savants » et que « celui qui se met au-dessus des autres, quelque esprit qu'il ait, se met au-dessus de son esprit ». Comme les jeunes filles de son temps, elle complète son éducation par l'observation de la société qui l'entoure. Elle est soumise en particulier à l'influence des salons littéraires institués par la fine fleur aristocrate et bourgeoise : les femmes y dominent et l'on y discute morale, littérature, grammaire, psychologie amoureuse, dans le souci constant d'exercer intelligemment son esprit. Les salonnières luttent également contre la rudesse des mœurs de la gent masculine, composée majoritairement de militaires, mais surtout contre les mœurs de la société contemporaine dans son ensemble, alliance de perversion et de vertu, de vulgarité et de distinction, de violence et de délicatesse, de misère et d'opulence.

1617-1643	Règne de Louis XIII.
1618-1648	Guerre de Trente ans.
1624-1642	Ministère de Richelieu.
1635	Fondation de l'Académie Française.
1643	Régence d'Anne d'Autriche.
1643-1661	Ministère de Mazarin.
1648	Début de la Fronde, qui s'achèvera en 1652.

2.

Un mariage sans chaînes

D evenue jeune fille à marier, Marie-Madeleine ne
tarde pas à rencontrer le comte François de
Lafayette : âgé de dix-huit ans de plus qu'elle, cet offi-
cier d'infanterie descend d'une glorieuse lignée de sol-
dats. Le contrat de mariage est signé le 14 février 1655.
Bien moins cultivé que son épouse, le marquis se lasse
rapidement de l'existence mondaine de celle-ci et, vers
décembre 1655, le couple se retire sur les terres que la
famille Lafayette possède en Auvergne. La toute nouvelle comtesse entretient une correspondance suivie avec
ses relations parisiennes et ne cesse de lire et de se cultiver, tout en aidant son mari, grand procédurier comme
nombre de ses contemporains, à régler ses affaires. C'est
à cette période que s'aggravent des problèmes de santé
dont elle a commencé à souffrir un peu avant son
mariage. Vers 1657, la comtesse est enceinte de son premier fils mais sa grossesse contribue à l'affaiblir encore
et détériore considérablement sa beauté, ce qui l'affecte
profondément. Envoyée par ses médecins prendre les
eaux à Vichy, elle continue de se tenir au fait de l'actualité des parutions littéraires (*Clélie* de Mlle de Scudéry)
et prodigue de nombreux conseils à Ménage pour la
rédaction de ses poèmes. Lorsque naît Louis, en 1658,
elle se partage entre l'Auvergne et la capitale, mais vers
1659, peu après la naissance de son second fils, René-
Armand, elle s'installe durablement à Paris. Son époux
n'ayant que peu de goût pour le mode de vie parisien
de la comtesse ne l'accompagne pas, de sorte que le

couple, tout en maintenant une relation de bonne intelligence, mène des existences de plus en plus autonomes.

En 1659, inspirée par l'engouement naissant pour les
portraits littéraires, Mme de Lafayette fait paraître « sous
le nom d'un inconnu » le portrait de Mme de Sévigné
dans un ouvrage collectif édité par Segrais et Huet et
qui recueille une centaine de portraits : il s'agira là de
sa toute première œuvre. Ce genre du portrait l'accou-
tume à l'étude des cœurs et des âmes, constitutive du
roman d'analyse. Il n'est pas alors de bon ton qu'un
aristocrate se commette dans des occupations intellectuelles, ce que Mlle de Scudéry observe dans *Artamène
ou le Grand Cyrus* (1656) :

> Il n'y a rien de plus incommode que d'être bel esprit
> ou d'être traité comme l'étant, quand on a le cœur
> noble et quelque naissance. Car enfin je pose pour
> indubitable que, dès qu'on se tire de la multitude par
> les lumières de son esprit et qu'on acquiert la certi-
> tude d'en avoir plus qu'un autre, et d'écrire assez
> bien en vers et en prose, pour pouvoir faire des livres,
> on perd la moitié de sa noblesse si on en a, et l'on
> n'est point ce qu'est un autre de la même maison et
> du même sang qui ne se mêlera point d'écrire. En
> effet, on vous traite tout autrement.

Mme de Lafayette manifeste néanmoins une certaine
fierté d'auteur, elle écrit à Ménage :

> Je vous prie de demander au libraire jusques à trente
> exemplaires de notre *Princesse*. Je ne me soucie pas trop
> qu'ils soient tous si parfaitement reliés. J'en voudrais
> seulement une demi-douzaine qui le fussent fort et je
> les voudrais de maroquin et dorés sur tranche. S'ils
> n'en veulent pas tant donner comme cela je m'en con-
> tenterai de quatre. Je vous en renvoie deux afin que
> vous en donniez à Mlle de Scudéry et à Mme Amelot et

vous en prendrez pour vous de ceux qui seront bien
reliés que vous garderez s'il vous plaît car je prétends
que mes œuvres aient place dans votre bibliothèque.

Dès son installation à Paris, sa vie sociale est toujours
plus occupée, la conduisant à fréquenter d'éminentes
figures littéraires (Scarron, Racine, Bossuet, La Fontaine,
Boileau, Perrault, Molière) ; elle trouve aussi de solides
appuis auprès d'aristocrates influents tels que le prince de
Condé, Louvois, le cardinal de Retz, Mme de Maintenon.
Outre le cercle d'Henriette d'Angleterre, elle fréquente
beaucoup l'hôtel de Nevers et y trouve l'occasion d'enri-
chir sa culture morale, religieuse et philosophique et de
développer le style qui fera le succès de ses romans.
C'est également là qu'elle rencontre La Rochefoucauld,
auquel la liera une vive et profonde affection jusqu'à la
mort du duc. Vers 1665, elle entreprend d'écrire sur la
vie d'Henriette d'Angleterre dont elle est l'amie intime
depuis le mariage de la princesse avec Monsieur en 1661.
Vers 1669, elle coécrit *Zaïde* avec Segrais et La Rochefoucauld et le récit est publié sous le nom de Mme de
Lafayette vers 1670. *La Princesse de Clèves* paraît en 1678.

1659	Fin de la guerre franco-espagnole, scellée par le traité des Pyrénées.
1660	Mariage de Louis XIV avec Marie-Thérèse d'Espagne.
1661	Début du règne personnel de Louis XIV.
1664	Fouquet, banni, est emprisonné à la forteresse de Pignerol : il y mourra en 1680.
1670	Henriette d'Angleterre meurt à vingt-six ans ; son oraison funèbre est prononcée par Bossuet.
1672	Début de la guerre de Hollande, qui s'achèvera le 10 août 1678 avec le traité de Nimègues.

3.
Le temps du désarroi

En 1680, la mort de La Rochefoucauld laisse Mme de Lafayette dans un immense désarroi ; inconsolable, elle sait toutefois se dominer suffisamment pour aider ses fils et ses amis. Parmi eux, Madame Royale, régente du duché de Savoie depuis la mort du duc Charles-Emmanuel, est aux prises avec de sérieuses difficultés dans ses relations diplomatiques avec la France et sollicite ses conseils : Mme de Lafayette prend parti pour son amie et remplit ainsi des fonctions d'ambassadrice entre Versailles et la Savoie.

Le comte de Lafayette meurt en 1683, sa disparition ne causant qu'un chagrin modéré à celle dont il était séparé depuis bien longtemps. La santé de la comtesse se dégrade sensiblement : soignée en vain, elle commence à se lasser de vivre dans des douleurs perpétuelles. C'est dans ce moment qu'elle écrit ses *Mémoires de la cour de France* (qui ne seront publiés qu'à titre posthume en 1731), dont seules subsistent les années 1688 et 1689. Cette œuvre révèle le don d'observation de Mme de Lafayette, qui sait analyser en historienne les événements dont elle est témoin. Peu après la rédaction de ces *Mémoires*, elle trouve un regain d'énergie pour régler d'ultimes affaires : elle organise le mariage de son fils Louis, assure la sécurité financière de Mme de Sévigné en lui accordant un prêt sans intérêts, puis fait son testament. Ces sujets d'inquiétude apaisés, elle se prépare alors à une mort qu'elle devine proche. Au printemps 1692, elle écrit, en effet, dans l'une de ses dernières lettres à Segrais :

> Ma santé est toujours d'une langueur à faire pitié, je
> dors très mal, je mange de même [...], je suis tou-
> jours triste, chagrine, inquiète, sachant très bien
> que je n'ai aucun sujet de tristesse, de chagrin, ni
> d'inquiétude, je me désapprouve continuellement.
> C'est un état assez rude, aussi ne crois-je pas y pouvoir
> subsister.

Mme de Lafayette est victime d'une attaque d'apo-
plexie le 21 mai 1693 et meurt le 25 ; on découvrira
que les douleurs multiples qui l'assaillaient sans répit
étaient causées par de graves lésions au cœur, aux intes-
tins et aux reins. Elle est enterrée le 27 mai 1693, au
cimetière de Saint-Sulpice à Paris. Dans l'article qui
annonce son décès, *Le Mercure galant* la décrit comme
« tellement distinguée par son esprit et par son mérite,
qu'elle s'était acquis l'estime et la considération de tout
ce qu'il y avait de plus grand en France. Lorsque sa
santé ne lui a plus permis d'aller à la cour, on peut dire
que toute la cour a été chez elle. De sorte que sans sortir
de sa chambre, elle avait partout un grand crédit dont
elle ne faisait usage que pour rendre service à tout le
monde. On tient qu'elle a eu part à quelques ouvrages
qui ont été lus du public avec plaisir et admiration ».

1680 Création de la Comédie-Française.
1682 Installation de la cour à Versailles.
1685 Révocation de l'Édit de Nantes (promulgué en
      1598).
1687 Début de la « Querelle des Anciens et des Moder-
      nes ».

Pour aller plus loin

Chronologie par Camille ESMEIN-SARRAZIN dans *Mme de Lafayette. Œuvres Complètes*, coll. « Bibliothèque de la Pléiade », Gallimard, p. XXXVII-LII, 2014.

Harry ASHTON, *Mme de Lafayette. Sa vie et ses œuvres*, Cambridge, The University Press, 1922.

Roger DUCHÊNE, *Mme de Lafayette*, Fayard, 2000.

Éléments pour une fiche de lecture

Regarder le tableau

- Imaginez qu'une actrice doive incarner Brigida Spinola Doria : qui choisissez-vous pour le rôle ?
- Regardez rapidement le tableau, sur la quatrième de couverture, et dites quelles en sont les couleurs. Soyez maintenant plus attentif : nuancez votre description.
- Si vous avez suivi la lecture d'image, p. 49, vous connaissez parfaitement les différents éléments de la robe que porte la marquise. Associez la fraise, le baleiné, le vertugadin, l'aigrette, l'emmanchure à la partie du corps concernée par chacun d'eux.
- Trouvez deux adjectifs pour décrire le regard de la jeune femme.

L'intrigue

- Identifiez les passages importants de la nouvelle et donnez-leur un titre.
- D'après les éléments du texte, comment imaginez-vous la vie à la cour de Charles IX ? En quoi ce recours à l'Histoire contribue-t-il à la logique de l'intrigue ?

- En quoi la nouvelle s'apparente-t-elle à une tragédie classique ?
- En quoi la dernière phrase de la nouvelle constitue-t-elle un avertissement ?

Les personnages

- La princesse de Montpensier est-elle présentée par la nouvelle comme une victime bafouée ou comme une coupable punie ? Justifiez votre propos.
- L'héroïne éponyme de *La Princesse de Clèves* affirme : « Les passions peuvent me conduire ; mais elles ne sauraient m'aveugler. » Quelle différence cette phrase établit-elle entre ce personnage et la princesse de Montpensier ?
- Comment pourriez-vous décrire et analyser le comportement du prince de Montpensier, celui du duc de Guise et celui du comte de Chabannes ? Quelles sont les différences essentielles entre ces personnages masculins et la princesse de Montpensier ? Sur quels points sont-ils similaires ?

Le style

- Relevez certains mots ou expressions imprécis, certaines litotes, euphémismes ou périphrases, bref, tout ce qui traduit la réserve, la retenue, la précaution, la pudeur : quel est le but de ce choix d'écriture ?
- Relevez quelques mots appartenant au lexique amoureux et montrez-en l'ambivalence. En quoi cette ambivalence d'un même terme permet-elle la finesse d'analyse du sentiment ?
- Quels sont les procédés stylistiques par lesquels l'analyse psychologique enrichit l'histoire racontée ?

- Relevez les passages du récit qui lui donnent l'allure d'« une chose de roman ».

Lectures complémentaires

Lisez les trois autres fictions écrites par Mme de Lafayette, *La Princesse de Clèves*, *Zaïde* et *La Comtesse de Tende* : expliquez dans quelle mesure ces trois récits ainsi que *La Princesse de Montpensier* méritent le qualificatif de « féministes ».

Sujet de réflexion

L'une des *Maximes* de La Rochefoucauld affirme : « Qu'une femme est à plaindre, quand elle a tout ensemble de l'amour et de la vertu ! » Vous commenterez, discuterez et dépasserez ce propos en vous fondant sur votre lecture de *La Princesse de Montpensier*.

Questions sur l'adaptation cinématographique de Bertrand Tavernier (2010)

- Bertrand Tavernier choisit à de multiples reprises de montrer ou d'expliciter ce qui, par souci de pudeur, d'élégance ou par obéissance aux convenances sociales et morales, reste suggéré, allusif, implicite, voire informulé dans la nouvelle de Mme de Lafayette. Rappelez-vous par exemple la nudité et la sensualité des corps animés par le désir, la tension évidente qui déchire les personnages principaux entre leurs élans et les règles qui les entravent, l'expressivité avec laquelle éclatent leurs sentiments (amour, jalousie, colère, révolte, frustration). Rapprochant ainsi davantage son film d'une libre adaptation que d'une transposition, le cinéaste va, par ce parti pris esthétique, à l'encontre non seulement de celui de l'écrivaine mais encore des codes de la nouvelle classique. Avez-vous l'impression que cette explicitation par le film vous aide à comprendre le texte ? Justifiez votre réponse.

- Alors que le propos de Mme de Lafayette privilégie l'analyse psychologique et non l'Histoire, cette dernière est beaucoup plus intégrée par Bertrand Tavernier à plusieurs égards : le réalisateur montre par exemple la férocité des combats, les protestations du personnage de Chabannes en faveur de la tolérance religieuse, et il représente le peuple. Outre ses prédilections personnelles, quelles raisons d'ordre esthétique, historique ou sociologique, pourraient selon vous expliquer qu'il était impossible à Mme de Lafayette d'ancrer son récit dans un tel réalisme ?

- Certaines scènes du film (par exemple, celle consacrée aux tractations des deux familles en vue du mariage de Mlle de Mézières avec le prince de Montpensier ou encore l'étirement de la fin) modifient le rythme de l'intrigue en regard de l'écriture de la nouvelle, qui justement se fonde entre autres sur la densité : que pensez-vous de ce changement de rythme narratif entre la nouvelle et le film ? Justifiez votre réponse.

- Parmi les scènes inventées par Bertrand Tavernier, certaines frappent par leur âpreté (par exemple, l'altercation violente entre la princesse de Montpensier et son père, le dépeçage du sanglier, la mise à mort de l'un des chiens du prince de Montpensier par le duc de Guise) : en quoi peut-on considérer que ces scènes ne sont aucunement gratuites mais qu'elles permettent de restituer à l'écran la noirceur de l'atmosphère conférée par Mme de Lafayette à son récit ?

- Si vous écoutez avec attention les dialogues du film, vous remarquerez la modernisation (qui va parfois jusqu'à un certain relâchement) de la syntaxe et du vocabulaire de l'œuvre littéraire. Sélectionnez des dialogues du film et écoutez-les puis choisissez des passages de la nouvelle et lisez-les à haute voix. Proposez une analyse comparée. La modernisation opérée par le cinéaste vous semble-t-elle fidèle au texte de Mme de Lafayette ? Pourquoi ?

Composition Nord Compo
Impression Novoprint
à Barcelone, le 4 octobre 2019
Dépôt légal: octobre 2019
1ᵉʳ dépôt légal dans la collection : avril 2015
ISBN : 978-2-07-046279-7/Imprimé en Espagne

363475